Steunend stelsel

'Het is eenvoudiger tien boeken met filosofie te vullen dan één principe in praktijk te brengen.'
– LEV TOLSTOJ

PIETERJAN VAN DELDEN

Steunend stelsel

Transformatie van het sociaal domein

Eerste druk augustus 2014

© 2014 Pieterjan van Delden | Uitgeverij Van Gennep
Nieuwezijds Voorburgwal 330, 1012 RW Amsterdam
Beeld omslag © Thinkstock
Ontwerp omslag Léon Groen
Drukwerk Bariet, Steenwijk
ISBN 978 94 6164 326 1 | NUR 740

www.uitgeverijvangennep.nl

Inhoud

1 Inleiding

Mensen helpen elkaar om hun bestaan zeker te stellen en hun leven kwaliteit te geven. Dit is een oud en zelfs evolutionair gegeven, dat in onze samenleving de vorm heeft gekregen van talloze collectieve regelingen en voorzieningen. Deze variëren van hulpverlening, zorg, inkomenssteun en werk- en leertrajecten. Het geheel van deze collectieve regelingen voor bestaanszekerheid en levenskwaliteit noemen we het sociaal domein. Dit sociaal domein is nu in beweging. Eigenlijk was dit altijd al het geval, want er is voortdurend gesleuteld en geschaafd aan het stelsel. Maar in onze tijd is er sprake van een omslag: de groei van de collectieve regelingen wordt ingedamd en er wordt gezocht naar een nieuwe grondslag. Het stelsel krijgt steeds meer kritiek en lijkt ook te omvangrijk en onbeheersbaar geworden. Maar waar beweegt het zich nu naar toe? Wat zijn eigenlijk de krachten die aanzetten tot verandering en geven die ook een robuuste veranderingsrichting?

In deze publicatie verkennen we de route die het sociaal domein in de komende jaren kan doorlopen. Dit gebeurt in een periode waarin duizenden professionals, burgers, managers, beleidsambtenaren en bestuurders naarstig bezig zijn om een nieuw ontwerp uit te vinden. Dit is een zoektocht, soms een worsteling, die werkende weg wordt afgelegd. Voor deze zoektocht willen we hier bruikbare keuzes aanreiken, die verder gaan dan pragmatische oplossingen om het nieuwe stelsel op tijd klaar te krijgen. Hoe ziet het sociaal domein er in 2020 uit? Dat jaartal is een richtpunt dat ruimte biedt voor een wenkend perspectief maar ook voldoende dichtbij ligt om de door ons aangedragen keuzes voorstelbaar te maken. Een stip op een lokkende horizon, maar op beloopbare afstand.

Het betoog in dit boek neemt de transformatie van het sociaal domein als uitgangspunt. Uiteindelijk zal de transformatie zich manifesteren in een dramatische verschuiving in de verhoudingen tussen burgers en professionals. Dit is een drama maar ook een doel. Die doelgerichte benadering is de inspiratie geweest voor dit boek vanuit de waarneming dat in de vele veranderingen het zicht op het geheel al gauw verloren gaat. Deelproblemen dringen zich op, belangen van burgers en organisaties worden scherp tot uitdrukking gebracht en soms zijn er confrontaties tussen aanbieders en gemeenten. Waar gaat het nu eigenlijk om en hoe komen we daar? Uiteindelijk zijn er duidelijke uitspraken en gerichte keuzes nodig. Maar elke keuze is aanvechtbaar. Toch komen in dit boek uitgesproken keuzes naar voren, want als alles belangrijk wordt gevonden komen we er niet. Het betoog is bedoeld als leidraad om toe te werken naar de praktische doelen van de transformatie – meer rol voor burgers en meer verbinding tussen het gewone leven en het professionele aanbod. Die leidraad maakt gebruik van inmiddels ontwikkelde modellen en oplossingen maar volgt ook andere wegen. Fundamenteel is het uitgangspunt dat een inhoudelijke ambitie en focus nodig is op de behoeften van de burgers, het eigene van de wijk of het dorp, het daarbij passende aanbod en de complexe samenwerking die daartoe nodig is. Met die inhoudelijk invalshoek is het ook mogelijk om het totale stelsel compacter en efficiënter te maken. Daarom wordt de financiële taakstelling niet als afzonderlijk onderwerp in dit boek behandeld, ervan uitgaande dat kostenbesparingen de uitkomst van de inhoudelijke verbeteringen kunnen zijn en geen dwingende conditie om de transformatie te kunnen doorzetten.

Het boek start met een visie op de krachten die tot verandering aanzetten in het sociaal domein, de veranderingen in de wettelijke regiems en het beleid van de overheid. Dan volgt een beschrijving van de transformatie naar zijn risico's, kansen en voornaamste opgaven. Dit leidt tot een strategische benadering langs de weg van de inhoud: de behoeften van burgers, het vereiste aanbod van ondersteuning en hulp en de manier op dat te organiseren en te sturen. Gemeenten en de aanbieders van welzijn, ondersteuning en hulp zijn de aangesproken partijen.

Dit betoog is niet bedoeld om een alles omvattende veranderingsstrategie te presenteren. De echte veranderingen zijn nog maar net begonnen en er valt nog veel te ontwaren en te ontdekken. Het boek concentreert zich op de voornaamste opgaven die nu in beeld zijn en doorslaggevend zijn voor het bereiken van het doel. Wat zijn de meest weerbarstige problemen bij de nieuwe inrichting van het sociaal domein? Als het lukt om deze aan te vatten is er al veel gewonnen.

We onderscheiden drie sleutelopgaven:

Uitbouwen van sociale netwerken van burgers
Wat is de spankracht van de samenleving? Wanneer zitten burgers in hun kracht – en wanneer niet? De transformatie veronderstelt dat er op de eigen inzet van burgers kan worden gerekend. De vraag is dan hoe dat kan worden geborgd? Kan informele zorg formele zorg vervangen en hoe organiseer je dat?

Creëren van een markante lokale ondersteuningsstructuur
Hoe bereik je dat de ondersteuning dicht bij burgers komt? En hoe geef je die zodanig vorm dat deze voor burgers herkenbaar en toegankelijk wordt? Dit kan door te kiezen voor een geprononceerde opzet, zoals een locatie, een team of een persoon, maar die moet dan wel toegang hebben tot het volledige lokale aanbod. Wat zijn goede vormen hiervoor?

Samenhang brengen in het totale aanbod
Is het mogelijk om honderden professionals uit tientallen disciplines en organisaties in één stramien te laten functioneren? De specialistische

hulp en zorg moeten zoveel mogelijk gaan aansluiten op de samenleving en de basisvoorzieningen. Hoe zorg je dan voor netwerknavigatie die ook voor mensen met forse problemen de route naar 'het gewone leven' open houdt?

Deze sleutelopgaven worden besproken in hoofdstuk 4. In de verdere hoofdstukken komt aan de orde hoe inhoudelijke behoeften van burgers aan steun en hulp het uitgangspunt kunnen vormen voor het aanbod, het beleid en de sturing. Vanuit dat perspectief wordt bezien hoe dit door beleidsagenda's, gemeentelijke netwerksturing en een doelgerichte veranderingsroute inhoud kan krijgen.

De lokale ondersteuningsagenda

Wat zijn de logische zwaartepunten in de lokale beleidsagenda van de gemeente? Daarvoor moeten de ondersteuningsbehoeften van burgers als uitgangspunt gelden, die kunnen worden geïnventariseerd op het niveau van wijken en dorpen. Hoe kun je daarin prioriteiten stellen? Die moeten worden vertaald in functionaliteiten, als basis voor opdrachten aan instellingen voor welzijn en zorg.

De regionale ondersteuningsagenda

Welke activiteiten zullen op regionaal niveau blijven liggen en hoe kan een gezamenlijke agenda van gemeenten er uit zien? Ook hier zijn prioriteiten te stellen. Hoe beïnvloed je de samenhang tussen de lokale ondersteuning en de meer intensieve hulp en zorg, die meer regionaal blijft georganiseerd? De grootste opgave is om het totale aanbod als een flexibel dienstenpakket naar burgers te laten werken.

Gemeentelijke netwerksturing

Is dit alles met gemeentelijk beleid aan te sturen? Gemeenten moeten vraag en aanbod ontwikkelen en prestatiecriteria formuleren. Is krachtig opdrachtgeverschap dominant of kan dat ook in een terughoudende stijl? Gemeenten moeten vorm geven aan de inkoopfunctie en het intern multidisciplinair werken. Programmamanagement kan daarbij helpen. Regionale samenwerking van gemeenten voor het sociaal domein stelt andere eisen dan bij uitbesteedbare diensten.

De veranderingsroute

Om goed uit te komen moet de transformatie al beginnen in het veranderingsproces. Het gaat om omvattende veranderingen, die gemeenten vorm kunnen geven als 'grote operaties'. Maar het succes wordt bepaald in de uitvoering. Hoe kun je hier de nieuwe werkwijzen en structuur vorm geven maar wel gericht op het geheel? Hoe haal je de toekomst naar voren?

Het betoog sluit af met een samenvatting waarin een kernstrategie wordt getypeerd, als lering uit het hele betoog. Daarna volgen Capita selecta, kort weergegeven analyses en oplossingen bij onderwerpen die aparte vraagstukken vormen en extra aandacht vereisen maar in uitgebreide vorm minder goed passen in de betooglijn. Natuurlijk zal de lezer onderwerpen missen en had zij of hij graag zaken meer uitgediept gezien. Vrijwel altijd zal die behoefte terecht zijn en daarom stellen we het op prijs om reacties te krijgen, zoals aangegeven in het nawoord. Compleet kunnen we niet zijn, maar wel uitgesproken.

2 Sociaal domein in beweging

2.1 Onderstromen

Waardoor is het sociaal domein in beweging geraakt? Welke krachten veroorzaken de verandering? Opvallend in de nu ingezette veranderingen is het massieve momentum. De veranderingen zijn al jaren geleden op gang gekomen en betreffen inmiddels welzijn, ondersteuning, begeleiding, jeugdhulp, werk en inkomen en het passend onderwijs. Er is een brede consensus over de noodzakelijke veranderingsrichting. Deze breedte wijst op diepere, meer algemene oorzaken. Er zijn meerdere ontwikkelingen gaande, die niet tot elkaar zijn te reduceren. Het gaat om vier onderstromen die ten grondslag liggen aan de veranderingen in het sociaal domein:

» Afnemende (financiële) houdbaarheid van de verzorgingsstaat
» Ongerustheid over een ongezond Nederland
» Afnemende effectiviteit van publieke voorzieningen
» Behoefte aan een meer directe verbanden tussen burgers.

In de tweede helft van de twintigste eeuw is er een verzorgingsstaat opgebouwd die in afnemende mate houdbaar blijkt. De kosten zijn een probleem, maar ook de complexiteit. De verzorgingsstaat is steeds meer gaan omvatten doordat behoeften en problemen steeds meer werden gezien als aanleiding voor een collectieve regeling. Productbekostiging leidde tot een expanderende vraag en aanbod. Aanbieders van hulp en zorg sloegen de vleugels uit. De behandeling van hulpvragen werd geprofessionaliseerd en soms gemedicaliseerd. Behoeften die van oudsher werden gezien als problemen die in het gewone sociale verkeer moeten worden opgelost, zoals de ondersteuning van ouderen door hun kinderen, werden in een collectief arrangement ondergebracht zoals het persoonsgebonden budget. Op vele plaatsen in het sociaal domein traden deze verschijnselen op. Het gevolg was stijgende publieke uitgaven en tekorten op langere termijn, ook door de relatieve krimp van de beroepsbevolking ten opzichte van jongeren en ouderen, de niet actieven. Toen diende de financiële crisis zich aan, werd het begrotingstekort van de overheid nijpend en ontstond de noodzaak om versneld in te grijpen

In de samenleving is er sprake van een chronische ongerustheid over ons welbevinden. Met de meeste burgers gaat het goed, maar er blijven hardnekkige problemen bestaan bij wisselende minderheden. Mensen met een lagere sociaaleconomische status (SES) zijn gemiddeld minder gezond, leven korter en hebben aanzienlijk minder gezonde levensjaren dan degenen hoger op de SES-ladder. Chronische ziekten blijven en sommige daarvan zijn gerelateerd aan leefstijl (zoals diabetes) en worden als bedreigend ervaren. Risicojongeren geven overlast en missen kansen voor hun eigen toekomst. Overlast van probleemgezinnen en huiselijk geweld manifesteren zich in incidenten die veel aandacht krijgen. Tegelijkertijd wijst internationaal vergelijkend onderzoek uit dat Nederland een van de meest welvarende, gelukkige en gezonde landen ter wereld is, met een hoog niveau van voorzieningen. De zorgen over gezondheid en welbevinden zijn dus voor een belangrijk deel niet gegrond in de feitelijke situatie. Ze worden ook gevoed door onrealistische verwachtingen. Medische missers roepen verontwaardiging op. In de media krijgt de jeugdzorg er regelmatig van langs. Als gevolg van deze teleurgestelde verwachtingen is er een voortdurende kritische bejegening van de hulpverlening en zorg. Kan het stelsel wel leveren wat we wensen? In het overheidsbeleid worden de ambities langzamerhand omlaag geschroefd.

Het vorige sluit aan bij een bredere kritische houding ten opzichte van de publieke voorzieningen in het algemeen. De overheid moet veel waar maken, dat lukt meestal maar ten dele, en dan is er afkeuring. In de jaren negentig is marktwerking geïntroduceerd, maar vooral in de zorg heeft dat eerder geresulteerd in overproductie en administratieve belasting (bijvoorbeeld van de diagnose-behandelcombinaties) dan in meer efficiency en flexibiliteit. (verwijzing naar rapport Goed Bestuur/Halsema). Tegelijkertijd hebben ernstige incidenten als de dood van het Maasmeisje in de jeugdzorg geleid tot een toename van de interne controles en een groei van de bureaucratie. Zware casuïstiek, zoals die van overlastgevende multiprobleemgezinnen, trekken meerdere hulpverleners aan, die vervolgens te veel langs elkaar heen blijven werken. Het totale stelsel van de publieke dienstverlening is overbelast en topzwaar geworden. De noodzaak van vereenvoudiging dringt zich op.

Burgers hebben behoefte om nieuwe, meer directe verbanden aan te gaan om iets voor elkaar te betekenen. De maatschappij is voor veel mensen te amorf en te individualistisch geworden om als basis voor onderlinge solidariteit te kunnen dienen. Mensen willen zich herkenbaar kunnen verbinden aan goede doelen, zoals de Alpe d'HuZes en de 1%Club. In veel dorpen en wijken ontstaan burgerinitiatieven waarin mensen praktische afspraken maken om elkaar op te vangen, zoals zorgcoöperaties en vouchersystemen voor onderlinge (buren)hulp. Internet is daarbij vaak behulpzaam. De overheid is niet in staat om een dergelijke herkenbaarheid te organiseren en dus doen burgers het zelf. Deze beweging is al langer bezig en omvat steeds meer groepen. Ze drukt ook de wens uit om zelf regie te kunnen voeren over het eigen leven, vaak met de naasten in eigen omgeving. Nieuwe vormen van hulpverlening, zoals Buurtzorg, spelen op deze ontwikkeling in door de dienstverlening nauw af te stemmen op de cliënt en zijn of haar omgeving.

De vier genoemde ontwikkelingen zijn hierboven getypeerd als onderstromen, dus trends die generiek plaatsvinden en nauwelijks zijn te beïnvloeden. Wel zijn er in de loop van de tijd diverse reacties op gang gekomen, die soms haaks op elkaar staan.

2.2 Reacties van de overheid

Grosso modo staat in het sociaal domein de publieke dienstverlening onder druk. Hulp en zorg zijn te ver geïnstitutionaliseerd, het stelsel is te complex en duur geworden en burgers hebben behoefte om elkaar te helpen in meer directe onderlinge verbanden. Als reactie hierop is nu een stelselwijziging gaande met een andere rolverdeling:
  a) tussen overheid en samenleving,
  b) tussen overheid en de aanbieders van zorg en welzijn, en
  c) binnen de overheid, door overdracht van taken van Rijk en Provincies naar gemeenten.

Deze stelselwijziging is een combinatie van een *transitie* (overdracht van taken naar de lokale overheid) en een *transformatie* (ontwikkelen van nieuwe werkwijzen). In essentie moeten welzijn, hulp en zorg veel dichter bij burgers worden georganiseerd en moeten de laatste er ook een meer actieve rol in gaan vervullen. Dit moet leiden tot een ingrijpende kostenbesparing. De veranderingen betreffen alle onderdelen van het sociaal domein, zij het dat de wijziging voor jeugd, voor volwassenen en voor ouderen steeds andere maatregelen kent en andere gevolgen heeft.

In de stelselwijziging worden verschillende oplossingsrichtingen gecombineerd, die gezamenlijk tot de gewenste effecten moeten leiden.

Het gaat om de volgende oplossingsrichtingen:

Bezuinigen. Voor vrijwel alle vormen van ondersteuning, hulp en zorg zijn in de toekomst minder middelen beschikbaar. De voorgenomen budgetreducties lopen op tot 25% (voor de functie begeleiding) tot 40%

(voor de huishoudelijke hulp). In het overheidsbeleid ligt het primaat bij het terugdringen van de publieke uitgaven, zoals in het regeerakkoord van het kabinet Rutte II.

Decentraliseren. Rijk en Provincies verschuiven taken naar gemeenten, zodat die meer verantwoordelijk worden voor het sociaal domein en kunnen aansluiten op de lokale bevolkingsopbouw, kwetsbare groepen en zorgaanbod. Daarmee verandert de rol van de gemeente als 'eerstverantwoordelijke overheid'. Dit leidt ertoe dat de gemeente een regisserende rol krijgt in de maatschappelijke zorg en ondersteuning van (kwetsbare) burgers.

Versterken van de eigen kracht van burgers, De overheid gaat minder doen en dus wordt er meer verwacht van burgers. Het gaat om het versterken van zelfzorg, burgerinitiatieven, vrijwilligerswerk en mantelzorg. Er wordt minder hulp en zorg geboden en burgers moeten hun problemen meer in het eigen sociale netwerk oplossen. In de regelgeving maken verzekerde rechten plaats voor compenserende ondersteuning. Bedoeling is het terugdringen van zorggebruik, door een striktere toegang en het verkorten van de duur van hulp en zorgverlening.

Ontschotten van specialismen. Om burgers met complexe vragen of problemen goed te kunnen helpen is het nodig om hun levenssituatie compleet in ogenschouw te kunnen nemen. Daarbij mogen de grenzen tussen specialismen en organisaties geen hinderende rol spelen, zoals nu vaak wel het geval is. Psychosociale hulp, opvoedingsondersteuning en financiële adviezen moeten in één begeleidingsaanpak makkelijk kunnen samengaan. Dit vereist nieuwe dwarsverbanden in het sociaal domein. De laatste jaren krijgen deze vorm in samenwerkingsplatforms als Veiligheidshuizen, sociale wijkteams, schoolzorgteams en bij casemanagers voor mensen met dementie.

Actiever ingrijpen door de overheid. Wanneer welzijn en hulp eerder worden ingezet kan daarvan een preventieve werking uitgaan en zo de inzet van meer intensieve (en doorgaans ook dure) hulp en zorg voorkomen. Dat vraagt om het vroegtijdig opsporen en signaleren van problemen door een 'er op af' benadering en bijvoorbeeld het ingrijpen 'achter de voordeur' in gezinnen. Dit is een breuk in de gebruikelijke rol van de overheid bij welzijn en zorg, waarbij de burger doorgaans een actieve vrager was en de overheid zorgde voor een passend aanbod als reactie daarop. Preventie vereist nu meer interventie.

Bezuinigen, decentraliseren, versterken van eigen kracht van burgers, ontschotten van specialismen en actiever ingrijpen door de overheid zijn vijf oplossingsrichtingen die worden gekozen om de stelselwijziging van het sociaal domein gestalte te geven. Bestaat over de stelselwijziging een brede consensus, bij de oplossingsrichtingen is dit wisselend het geval. Decentraliseren, meer eigen kracht van burgers en ontschotten van specialismen hebben brede steun, zij het met enige kritiek. Bezuinigen en actiever ingrijpen door de overheid worden doorgaans geaccepteerd maar roepen ook weerstanden op. De vraag is of de vijf oplossingsrichtingen ook een adequate reactie zijn op de in het begin genoemde onderstromen. Anders gezegd: is de stelselwijziging het juiste antwoord op het probleem? Deze vraag leidt tot kritische bedenkingen bij de ingezette veranderingen.

2.3 Kritiek

De stelselwijziging van het sociaal domein is bedoeld om enkele structurele manco's van de collectieve regelingen te verhelpen. Gebeurt dat nu ook? Diverse kritiekpunten dienen zich aan. De manco's worden onjuist weergegeven, de oplossingen zijn te beperkt, gemeenten staan (nog) niet sterk in het veld en de sturing berust op tegenstrijdige principes.

De manco's worden onjuist weergegeven.

Zoals eerder aangeduid berust de ongerustheid over de (on)gezondheid van de Nederlander en de zorgen over de toestand van de jeugd voor een groot deel niet op de feiten. In de stelselwijziging komt dit vertekende beeld terug in de vorm van een uitvergroting van problemen. Gezinnen met problemen worden al gauw als 'multiprobleem' omschreven. In de discussies over de toekomstige opzet wordt weinig onderscheid gemaakt tussen de diverse groepen burgers die ondersteuning behoeven. Mensen met een tijdelijke dip in hun leven, chronisch kwetsbare personen, burgers die alleen maar behoefte hebben aan een praktische oplossing, dementerende ouderen en depressieve jongeren worden in één adem genoemd. Vaak is er ook de onuitgesproken verwachting dat met de nieuwe arrangementen alle problemen zijn opgelost. Dat risico's en narigheid nu eenmaal een vast onderdeel zijn van het menselijk bestaan raakt uit zicht – een garantie voor toekomstige teleurstellingen. Onvermijdelijk gaat het introduceren van een nieuw stelsel ook gepaard met een 'verkoopboodschap': de gemeente gaat oplossen wat het Rijk en de Provincies niet is gelukt.

De oplossingen zijn te beperkt.

Waarom zouden gemeenten problemen kunnen oplossen waar dit het Rijk en de Provincies niet lukte? Vermoedelijk zullen er ook in het nieuwe stelsel prikkels zijn tot afwenteling en overproductie. Zullen de generalistische hulpverleners in de frontlijn niet in de verleiding komen (of genoodzaakt zijn) de meer lastige gevallen toch maar door te verwijzen naar gespecialiseerde aanbieders in plaats van ze zelf op te pakken? De eerste klachten over te trage gezinsmanagers zijn al gehoord. Veel zal afhangen van de mate waarin er andere werkwijzen worden gevonden. Er is ook weinig oog voor de kans dat preventie een kostenverhogend effect zal hebben doordat eerder en meer signaleren ook kan leiden tot een grotere zorgvraag.

De gemeenten staan (nog) niet sterk in het veld.
Er zijn ook bedenkingen mogelijk (en geuit) over de beperkte uitvoeringskracht van de gemeenten. Hun schaal is vaak te klein en ze hebben te weinig medewerkers om het complexe sociaal domein aan te sturen. De interne verkokering van de gemeentelijke organisatie (een ernstige handicap in (middel)grote gemeenten) heeft tot gevolg dat er weinig pragmatisch en resultaatgericht wordt geopereerd. Deze verkokering berust uiteindelijk op gescheiden bestuurlijke portefeuilles en is moeilijk te veranderen. Verder hebben gemeenten ook weinig competenties in huis om in het veld het ingewikkelde spel te regisseren van samenwerking tussen én aanbesteding van aanbieders.

De gemeente is niet de enige speler in het sociaal domein. De gezondheidszorg blijft vooral de taak van de zorgverzekeraars en zorgaanbieders. Het gaat in de eerste plaats om de huisartsen, die een steeds belangrijker rol krijgen als poortwachter en zorgverlener in de eerste lijn. De tweedelijns gezondheidszorg blijft hoofdzakelijk bekostigd vanuit de zorgverzekering en de Wet langdurige zorg (WLZ). Vanuit de zorg gezien is het sociaal domein belangrijk, maar alleen als een voorveld met daarin de gemeente als slechts één van de partijen. Burgers – vooral de kwetsbare – hebben echter vaak gelijktijdig te maken met gezondheidszorg en ondersteuning vanuit de gemeente. Dat betekent dat de gemeente sterk afhankelijk is van de zorgpartijen om tot de gewenste brede aanpak te komen. En dat veronderstelt weer een gezamenlijk optrekken met die partijen – die qua budget nog steeds een flinke slag groter zijn dan de gemeente. Financieel gezien is de gemeente hier de zwakkere speler.

Er worden tegenstrijdige sturingsprincipes gehanteerd.
De genoemde oplossingsrichtingen bevatten diverse sturingsprincipes die elkaar kunnen gaan tegenwerken. Dit gebeurt op meerdere vlakken. Hieronder staan de belangrijkste tegenstrijdigheden:
  » Het stimuleren van initiatief van burgers en professionals vraagt

om een uitnodigende overheid maar dat gaat moeilijk samen met het snijden in voorzieningen

» De geplande kostenbesparing gaat hand in hand met het stellen van hogere ambities voor het functioneren van professionals en hun organisaties (ontschotting, ketensamenwerking)

» De decentralisatie kan leiden tot (rechts)ongelijkheid. Gemeenten zullen immers verschillende keuzes maken. Hoever mag dat gaan? Het risico is aanwezig dat het Rijk uiteindelijk toch weer gaat bijsturen en grenzen stellen, met als gevolg dat de eigen initiatieven worden gesmoord (zie paradox Lucas Meijs/RMO)

» Ook burgers zullen vanuit hun eigen kracht diverse keuzes maken. Maar die kracht is niet overal aanwezig en dat kan tot gevolg hebben dat straks de meer competente burgers hun zaakjes beter voor elkaar hebben dan de kwetsbare groep. Hoe gaat de gemeente om met maatschappelijke initiatieven die niet bij voorbaat inclusief zijn (religieuze groeperingen, ideële organisaties)? Ook hier kan het handhaven van (rechts)gelijkheid leiden tot het stellen van grenzen aan het eigen initiatief, maar nu tussen gemeente en burgers

» In het Rijksbeleid is het terugdringen van de kosten dominant. Bezuinigen dwingt om keuzes te maken en te veranderen, maar tegelijkertijd beperkt dit de ruimte om te innoveren en te investeren, terwijl dat juist wel de bedoeling is

» Het versterken van burgerkracht en zelfzorg moet uiteindelijk ook het effect hebben dat het beroep op de professionele ondersteuning en zorg afneemt. Feitelijk gaat het dan (ook) om een substitutie van formele door informele zorg. Maar is dat zo maar te doen, is er dan geen verlies van professionele kwaliteit? Op het laatste wordt óók veel gestuurd, in allerlei vormen, variërend van handelingsprotocollen, intern toezicht bij aanbieders, certificering en BIG-registraties, en het optreden van diverse inspecties. In hoeverre gelden deze eisen nog voor de informele (zelf)zorg.

2.4 Strategie en stelselwijziging

Hierboven is geschetst hoe meerdere ontwikkelingen een omvorming van het sociaal domein nodig maken. Er is een stelselwijziging gaande die deze omvorming inhoud moet geven. Maar de oplossingsrichtingen in deze stelselwijziging zijn ingewikkeld en ten dele tegenstrijdig. Gaat de ombouw dan wel lukken?

Het doel van de ombouw is dat we in 2020 beschikken over een vitaal sociaal domein waarin de eigen kracht van burgers in een nieuwe balans is met professionele hulp en zorg en dat daarmee het stelsel weer beheersbaar is geworden. Dat doel wordt niet alleen ingegeven door noodzaak maar ook door de kans om tot een nieuw sociaal domein te komen, waarin de ondersteuning vanuit burgers en die van professionals elkaar versterken en zo een samenhangende, begrijpelijke en beïnvloedbare hulpomgeving ontstaat voor burgers, inclusief de specialistische hulp en zorg. Dit perspectief is te realiseren door onderscheid te maken tussen de maatschappelijke strategie om zo ver te komen en de nu op gang gebrachte stelselwijziging. De maatschappelijke strategie is gericht op een nieuwe hulpomgeving, een andere balans tussen burger en professional en op de beheersbaarheid van het stelsel. Dat is het blijvende inhoudelijke doel, ook op langere termijn. De stelselwijziging moet dit mogelijk maken. Strategie en stelselwijziging vallen dus niet samen: het kan nodig zijn de wijziging bij te stellen om de strategie te blijven steunen.

Het effectief invullen van die maatschappelijke strategie is de scope van deze publicatie. Hierin richten we ons op de sleutelopgaven in het herontwerp en gaan we na hoe vanuit dit gegeven de stelselwijziging benaderd kan worden. Welke contouren zijn dan zichtbaar, welke vragen doemen daarbij op en wat zijn krachtige oplossingen? Juist vanwege die inhoudelijke doelstelling zullen we ons daarbij vooral richten op de transformatie, het realiseren van nieuwe werkwijzen tussen burgers en professionals. Van daaruit zullen we dan bezien hoe de transitie vorm kan krijgen, vooral als spel tussen lokale actoren.

3 Stelselwijziging met risico's

In het toekomstige sociaal domein worden veel problemen opgelost vanuit de eigen kracht van burgers en kan de publieke dienstverlening zich beperken tot preventie, ondersteuning en alleen hulp en zorg voor degenen die het echt nodig hebben. Verdergaande hulp en zorg zal zich alleen richten op mensen die dit niet zelf kunnen regelen of betalen voor hun ziekte, beperkingen of leefomstandigheden. Voor complexe gevallen geldt een integraal aanbod van ondersteuning. Onnodige verkokering en stapeling van interventies worden teruggedrongen. Op die manier wordt het hele stelsel ook efficiënter en kunnen de kosten omlaag. De verantwoordelijkheid komt bij de gemeente te liggen, als de meest burger-nabije overheidslaag. Dit is de consensus over het toekomstbeeld van het sociaal domein.

De transitie en transformatie van het sociaal domein figureren in deze beleidsambitie als een utopie onder handbereik. Als de bovengenoemde principes worden vertaald in een breed programma met voldoende inzet en steun, kan de ambitie worden verwezenlijkt. Dat geldt vermoedelijk wel voor de transitie, de decentralisatie van taken naar gemeenten, maar minder voor transformatie, het realiseren van een nieuwe manier van werken. Bij het eerste gaat het om wetgeving, budgetten, lokaal beleid, structuur, inkoop en kwaliteitssystemen. Bij het tweede betreft het ander aanbod, methodische vernieuwing, organisatieverandering, krimp, nieuwe competenties en vooral gedragsverandering, bij professionals, managers en ook bij de burgers zelf. Bij transformatie draait het om het veranderen van mensen, meer nog dan van systemen. Is dit onder handbereik?

Deze vraag is niet retorisch. Het merkwaardige van de omvangrijke veranderingen die nu plaatsvinden in ons sociaal domein is dat aan de ene kant de utopie wordt gevoed door vele feitelijke voorbeelden van hoe het anders kan, terwijl tegelijkertijd de omwenteling massief is in zijn volume en complexiteit. Een nieuwe toestand van het sociaal domein is zeker mogelijk, maar de weg er naar toe is lastig.

3.1 Blik over de grenzen

Wat maakt de utopie realistisch? Voor een belangrijk deel vanwege hoopgevende praktijken en experimenten in eigen land, maar ook door de voorbeelden in ons omringende landen. Vergelijkende studies tussen Noord-Europese landen over de opzet van de jeugdzorg[1] laten zien dat ons streefbeeld realistisch is, ook al is er soms af te dingen op de resultaten. In Engeland, Duitsland en in Scandinavische landen is de situatie van een meer burgernabije, preventieve en lokale manier van werken in de jeugdhulp al eerder tot stand gekomen.

Wat behelst deze situatie? Hieronder volgen een paar voorbeelden van werkwijzen en oplossingen uit die landen[2].

» In de genoemde landen hebben de gemeenten al jaren de verantwoordelijkheid voor het aanbod, de regulering en de financiering van jeugdvoorzieningen. Alleen de gesloten voorzieningen zijn hier vaak van uitgezonderd. In Duitsland vallen de kinderopvang, het jeugdwerk en de jeugdhulp onder één noemer. Deze gemeentelijke taken worden hier uitgevoerd door een speciaal orgaan, het Jugendamt. In Engeland is dat de Children's Trust en in Noorwegen en Zweden de (jeugd)welzijnscommissies, die onderdeel zijn van het lokale brede welzijnsbeleid.

---

1   Nederlands Jeugd Instituut, 2012

2   Nederlands jeugd Instituut, 2009, 2012

» In Denemarken is de Familieschool een intensieve ondersteunings- vorm voor kinderen en hun gezinnen. De verwijzing gebeurt in overleg met de reguliere school door de sociaal werker. Het kind en zijn ouders gaan gedurende zes maanden drie ochtenden per week naar de Familieschool. Naast verbetering van het leren en leergedrag wordt ook gewerkt aan opgaven in de thuissituatie. De andere twee dagen van de week gaat het kind gewoon naar school. Positief resultaat van de Familieschool is onder andere dat kinderen en gezinnen er mentaal beter van worden. Doordat de kinderen ook nog het reguliere onderwijs bezoeken worden ze niet buitengesloten. De relaties tussen ouders en kind en met de school worden verbeterd.

» In Engeland is het CAF (Common Assessment Framework) een screeningsinstrument dat bedoeld is om vroegtijdig problemen bij een kind en het gezin op te sporen. Snelle hulp kan doorverwijzing naar zwaardere hulp voorkomen. Vanuit de gemeenten is deze 'quick scan' vanaf 2008 bij alle aanbieders in het sociaal domein verplicht ingevoerd. Het CAF ondersteunt de multidisciplinaire samenwer- king tussen bijvoorbeeld scholen en zorginstanties, maar wordt in Engeland ook gebruikt door de politie. Het CAF moet de samenwer- king tussen de hulpverlenende instellingen mogelijk en eenvoudiger te maken. Hiervoor introduceert het CAF een gezamenlijke taal.

» In Zweden kan de welzijnscommissie een particulier contactpersoon of contactfamilie aanwijzen die een jongere of gezin kan helpen op verschillende punten, opvoeding, financiële administratie, begelei- ding bij terugkeer uit een residentiële instelling e.d. Deze contact- personen zijn gewone burgers en geen beroepskrachten, maar krijgen wel een vergoeding en moeten goedgekeurd en gecontroleerd worden door de sociale diensten. Elk half jaar wordt het werk van de con- tactpersoon geëvalueerd maar de ervaring leert dat het contact jaren in stand kan blijven. Dit systeem van informele maar wel geregu- leerde ondersteuning heeft veel waardering bij jongeren en gezinnen.

» Deze verschillende interventies worden lokaal vastgesteld en uitge- voerd. De gemeente heeft hierin een centrale rol, maar doorgaans in samenwerking met actieve burgers (die soms zitting hebben in bege- leidingscommissies) en particuliere organisaties. Hiervoor zijn vaste samenwerkingsverbanden tussen gemeente en instellingen opgericht.

» Ondanks de andere opzet van de jeugdhulp is ook in de genoemde landen sprake geweest van een stijging van het gebruik van jeugd- voorzieningen, zij het in een lager tempo dan in Nederland. In enkele landen neemt het beroep op de meest intensieve voorzieningen af[3]. Er zijn aanwijzingen dat een grotere nadruk op informele ondersteuning en zorg, in het eigen sociale netwerk, daartoe kan bijdragen[4].

We hoeven dus maar een paar honderd kilometer te reizen om het ge- wenste model in de praktijk te ervaren. Dit is het goede nieuws. Het zorgelijke nieuws is dat dit model niet zonder meer een (spectaculaire) daling van het beroep op de intensieve zorg garandeert én dat de invoe- ring ervan veel voeten in aarde heeft. Dat blijkt ook uit internationaal vergelijkende studies naar de decentralisatie van de langdurige zorg. De overdracht hiervan naar de gemeenten is een algemeen Europees verschijnsel, dat overigens wel anders vorm krijgt in de Scandinavische, de continentale en de zuidelijke Europese landen. Maar in alle landen is er sprake van eenzelfde ontwikkeling waarbij de gezondheidszorg wordt gekoppeld aan sociale activiteiten en voorzieningen. Geleidelijk ontstaat er in heel Europa voor de langdurige zorg een gemengd stelsel, waarin de ondersteuning en hulp worden uitgevoerd door een mix van familie, mantelzorgers, publieke voorzieningen en private aanbieders[5]. Deze verandering pakt niet zonder meer positief uit. In de jaren negentig werd in de Scandinavische landen de zorg voor verstandelijk beperkte mensen gedecentraliseerd en ook gedeïnstitutionaliseerd. 'Normali- satie' was het thema. Grote intramurale instellingen werden gesloten en maakten plaats voor kleine woongroepen en sociaal nabije steun en

---

3   Nederlands Jeugd Instituut, 2009, 2012

4   Munro et al., 2010

5   Ranci, 2013

hulp. Individueel maatwerk en kleinschalige ondersteuning groeiden sterk in betekenis. Maar een decennium later zag het beeld er al weer anders uit. Gemeenten vonden de kleinschalige voorzieningen te duur en werkten weer toe naar grotere woonvormen met ook meer menging met andere groepen zoals ouderen. Cliënten moesten dit aanbod ook accepteren – het idee van maatwerk raakte op de achtergrond. Het aandeel van private aanbieders bij het leveren van intramurale zorg is vergroot. Economische afwegingen zijn belangrijker geworden. Ook is er sprake van gegroeide verschillen in behandeling tussen gemeenten, soms op een (zodanig laag) niveau dat er opnieuw een landelijke discussie ontstond over de gebrekkige kwaliteit van de zorg. In sommige landen heeft dat geleid tot het opnieuw vastleggen van een basisniveau van hulp en zorg. Er treedt herbezinning op[6]. Dit hernieuwde debat kan ertoe leiden dat in deze landen de transformatie (in de Nederlandse zin van het woord) opnieuw een kans krijgt: meer nadruk op informele hulp in eigen omgeving. Het transformatieproces blijft een enorme en langlopende opgave, zeker als we vasthouden aan de maatschappelijke doelen waar het eigenlijk om gaat.

3.2 Hoge verwachtingen

Waarom is de transformatie-opgave zo groot? In de eerste plaats omdat het gaat om een omwenteling van een omvangrijk, verfijnd en goed geïnstitutionaliseerd stelsel, waaraan miljoenen burgers en tienduizenden hulpverleners, managers en ondersteuners gewend zijn geraakt. Het is een stevig gevestigd systeem met immense personele belangen en financiële kwetsbaarheden dat op de schop gaat. Dat nieuwe stelsel moet een prestatie gaan leveren die in andere landen niet in die mate is vertoond maar in Nederland wordt geëist, namelijk het op korte termijn

---

6   Tøssebro, 2012. De auteur stelt kritisch: 'It appears as if national government ideals evaporate on their way to implementation.'

drastisch verminderen van het beroep op intensieve voorzieningen en zorg, door een preventieve werking van lichtere ondersteuning en hulp. Het stelsel wordt ingrijpend verbouwd en moet tegelijkertijd meer gaan presteren, tegen de internationale trends in van een groeiend beroep op jeugdvoorzieningen en de vergrijzing van de bevolking. De lat wordt ongekend hoog gelegd.

De ambitie is dus hoog en lijkt idealistisch. Er wordt gewezen op een vergelijkbare stelselverandering van de jeugdzorg in Denemarken, waar het jaren duurde voordat de prestaties weer op het niveau waren als voorheen. Kan de transformatie van het sociaal domein in ons land daar boven uit presteren? Zoals bij veel grote veranderingen krijgt de vernieuwing vorm door beleid vanuit boven af én door initiatieven van onderop. Gemeenten zijn al jaren bezig om het nieuwe stelsel te ontwerpen en hun beleidsplannen daar op af te stemmen. Op lokaal niveau zijn er allerlei experimenten en nieuwe ontwikkelingen om al werkende weg tot vernieuwing te komen[7]. Dit gebeurt vaak doorgaans samen met de gemeente, maar soms ook niet. Op het niveau van dorpen en wijken houden burgers speeltuinen gaande, richten een platform in voor buurtbemiddeling van informele hulp en diensten of starten een zorgcoöperatie om elkaar te steunen bij het zo lang mogelijk zelfstandig blijven wonen. Er is veel in beweging, de transformatie is gaande.

Maar is het voldoende? De vele pilots, proeftuinen en lokale initiatieven zijn inspirerend en hoopgevend. Maar de omwenteling reikt veel verder, namelijk het herordenen en verplaatsen van een enorm volume aan budgetten, contracten, dienstverleningsuren, personeel en gebouwen naar andere of nieuwe bestemmingen. Activiteiten moeten worden verplaatst maar soms ook beëindigd. Hoe verleg je de 'mainstream' van voorzieningen, hulp en zorg? Transformatie van werkwijzen over de volle

---

7   Zie bijvoorbeeld VNG, Maatwerk in zorg en participatie, Voorbeelden uit de gemeentelijke praktijk van nu.

breedte kan het nodig maken om taken te herzien, organisaties om te bouwen, bindende samenwerking aan te gaan of zelfs nieuwe organisaties te gaan vormen, al of niet na fusie of overname. Deze institutionele wijziging is de echte *proof of the pudding*, want hier liggen ook de grootste risico's. Instellingen kunnen failliet gaan en hun dienstverlening en zorg beëindigen. Wordt hun aanbod door anderen overgenomen, zorgvuldig en op tijd? Gaan organisaties hun beste professionals kwijt raken als deze gedemotiveerd raken door de onzekerheid van alle veranderingen? Een hoge ambitie kan ook tot gevolg hebben dat de doelen niet worden gehaald, vanwege de manier waarop het beleid feitelijk wordt ingevuld en doordat de uitvoering van alle veranderingen in de praktijk te kort schiet. Er zijn beleidsrisico's en uitvoeringsrisico's.

3.3 Beleidsrisico's

De brede stelselwijziging moet worden vertaald in een stroom van zorgvuldig op elkaar voortbouwende beleidsbeslissingen. Die stroom kan stokken of een verkeerde kant opgaan. Dat duiden we aan als beleidsrisico's. Simpel gezegd: uitblijvende beslissingen, onhandige keuzes of onwerkbare oplossingen. Het beleidsrisico geldt voor de publieke instellingen die moeten krimpen, vernieuwen en hun medewerkers anders inzetten en daarbij misgrepen kunnen begaan. Breed casemanagement claimen voor medewerkers met een smalle beroepsopvatting. Er op vertrouwen dat gemeenten wel zullen zorgen voor een blijvende stroom cliënten voor hun voorziening terwijl de gemeente daar juist op wil besparen. Veel zorginstellingen hebben een lange periode van groei achter de rug, zijn daardoor sterk overtuigd geraakt van hun eigen kwaliteit en onmisbaarheid en missen de vaardigheid om bij slechter weer de bakens te verzetten, naar buiten toe maar ook binnen de organisatie. Buitenstaanders wordt verteld dat men druk bezig is om te vernieuwen, maar intern valt het niet mee om de professionals er toe te bewegen om verantwoordelijkheden terug te leggen bij hun cliënten en meer samen te werken met andere disciplines en organisaties. De veranderingsdruk is groot en dit maakt medewerkers ook onzeker en inflexibel.

Maar ook gemeenten lopen een beleidsrisico. De complexiteit van de transformatie is voor veel raadsleden, wethouders en beleidsambtenaren niet te overzien. Iedere keer duiken er weer nieuwe hulpvormen, regelingen en condities op. Gemeenten hebben de opvattingen over de transformatie mede zelf ontwikkeld en omarmen deze van harte, maar hoe maak je die nu concreet? Interne discussies over het nieuwe stelsel hebben de neiging om zichzelf steeds verder te compliceren en te herhalen. Beleidsambtenaren hebben geleerd om lastige vraagstukken te analyseren en te problematiseren, maar vinden het moeilijk om zaken te vereenvoudigen en te focussen, nodig om tot een werkbaar en sluitend ontwerp te komen. In hun cultuur worden ze nu geconfronteerd met instellingen die van oudsher gewend zijn om strategie en zakelijkheid te combineren, en van daaruit gerichte voorstellen op te tafel te leggen. Grote zorgaanbieders beschikken over budgetten die soms het meervoud zijn van die van een kleinere gemeente en hun beleidsapparaat is vaak groter en krachtiger dan de beperkte ambtelijke capaciteit die zelfs een middelgrote gemeente daar tegenover kan stellen. Ook welzijnsorganisaties zijn vaak geen partij in de lastige beleidsdialogen. Omdat het ook nog eens gaat om veel financiën en risico's die met de decentralisatie overkomen raken de gemeenten belast met de noodzaak om het zorgaanbod te begrijpen, aan te sturen en in te kopen. Bestuurders en ambtenaren willen de zorgaanbieders dan stevig van repliek dienen. In de discussies nemen ze echter ook de taal van de 'tegenpartij' over en beginnen ze de transformatie te zien als het organiseren van cliëntenstromen en het contracteren van zorgaanbieders. Het paradoxale effect is dat de wereld van gemeenten en welzijn in de aandacht en het taalgebruik zo wordt 'gekoloniseerd' door de wereld van de zorg terwijl de transformatie juist het omgekeerde beoogde. De gemeente raakt gefixeerd op de beheersing van de 'achterkant' van de keten met kwetsbare groepen, een intensief zorgaanbod en grote financiële risico's. Dat resulteert in minder aandacht voor de opbouw van de 'voorkant', zaken als welzijnswerk nieuwe stijl, zorgcoöperaties en samenwerking met scholen in de wijk. Als die voorkant niet wordt versterkt zal het beroep op intensieve hulp en zorg niet afnemen en bestaat de kans dat kwetsbare burgers niet meer krijgen wat ze nodig hebben. Want de middelen nemen af.

Om een stelselwijziging succesvol te laten zijn is een jarenlang volgehouden inspanning nodig om het beleid en de financiële middelen gericht te houden op de doelen van die wijziging. Zoals hierboven geschetst gaat het om een verplaatsing van veel activiteiten en middelen, wat vraagt om een consequente strategie op lange termijn. Gemeenteraden, bestuurscolleges van burgemeester en wethouders en ambtenaren moeten die lange adem kunnen opbrengen terwijl het politieke klimaat is verschoven naar concrete programma's met resultaten die binnen enkele jaren gehaald kunnen worden. Is een college van B&W bereid om burgers aan te spreken om zelf actiever te worden als die burgers vaak nog denken in termen van hun recht op goede publieke voorzieningen? De consensus over de noodzaak van transitie en transformatie is op dit moment breed en robuust, maar wat gebeurt er als de voorzienbare treurige incidenten in de media de boventoon gaan voeren? Gemeenten zullen geld moeten blijven uitgeven aan de ondersteuning van eenzame ouderen, overbelaste mantelzorgers en zorgcoöperaties, ook als er zaken mis gaan bij de intensieve hulpverlening en zorg aan evident hulpbehoevende burgers. Preventie heeft geen bestuurlijke en politieke sexappeal, want als je ernstige problemen voorkomt kun je niet scoren met het feit dat je ze hebt opgelost. De kost gaat voor de baat uit, maar als die baten lang duren zijn de kosten impopulair. Dit is een klassiek bestuurlijk dilemma. In essentie is het antwoord dat doelen en uitgaven op lange termijn worden geborgd in vaste regelgeving en instituties. In de decentralisaties is dit dan een opgave voor de gemeenten. In de praktijk moeten deze hun krachten bundelen in regionale samenwerkingsverbanden om deze opgave aan te kunnen. Die gemeentelijke samenwerking is op zichzelf ook weer een opgave. Gemeenten zijn gewend om met elkaar samen te werken op meerdere terreinen, zoals veiligheid en publieke gezondheidszorg, maar nu gaat het om een ongekend grote verandering. Dit gegeven – en de beleidsrisico's die daarmee gepaard gaan – vraagt om bijzondere aandacht voor de manier waarop gemeenten samen sturen.

3.4 Uitvoeringsrisico's

Naast beleidsrisico's zijn er ook uitvoeringsrisico's. Het kan zijn dat de beleidsnota's zorgvuldige afwegingen en duidelijke keuzes bevatten, maar dat de vervolgbeslissingen om de keuzes in praktijk te brengen traag, ondoordacht of slecht gecoördineerd plaatsvinden. We noemen een paar voorbeelden.

Zwakke inkoopfunctie

Het inkopen van grote volumes van hulpverlening, zorg en welzijn vereist een gedegen kennis en ervaring om goed te kunnen beoordelen wat instellingen leveren aan kwaliteit en capaciteit en wat daarvoor een redelijke prijs is. Daarvoor is een goed geoutilleerd inkoopbureau nodig, vergelijkbaar met de afdelingen van de zorgverzekeraars die zorg inkopen. Als gemeenten nalaten om een capabel inkoopbureau op te richten en in stand te houden is de kans groot dat prijs en kwaliteit niet goed worden afgewogen bij de inkoop. Uiteindelijk kan het gevolg zijn dat hetzij te veel wordt betaald en te weinig volume wordt geleverd, hetzij te weinig wordt betaald en te weinig kwaliteit wordt geleverd. Dat manifesteert zich dan in wachtlijsten of incidenten, waarbij het in het politieke rumoer daarover vervolgens niet meer duidelijk is dat deze manco's hun oorzaak vonden in een zwakke bezetting van de inkoopfunctie. Ook de inkoop heeft weinig politieke sexappeal terwijl hier een sleutel ligt voor succes op langere termijn.

Onpraktische procesregie

Veel gemeenten stellen programmamanagers of procesregisseurs aan om het nieuwe stelsel vorm te geven. Het lijkt logisch deze te benoemen uit de groep die binnen de gemeente daarvoor de meeste kennis in huis heeft, de beleidsambtenaren. Toch is het organiseren van een ingewikkeld veranderingsproces met allerlei instellingen en andere partijen (zoals huisartsen of bewonerscommissies) een andere sport dan het maken van beleid, dat vaak bestaat uit het afstemmen van inzichten, het uitzetten van onderzoek en het opstellen van beleidsnota's. De ambtelijke cultuur van een gemeente is georiënteerd op de besluitvorming in het bestuurscollege en de gemeenteraad, niet op het bij het proces betrekken en activeren van maatschappelijke partners. Ambtelijke procesregisseurs hebben moeite om, los van de gemeente, nieuwe energie in het veld los te maken en ingewikkeld beleid te vertalen in werkbare doelen voor de uitvoerende organisaties en hun hulpverleners op de werkvloer. Daarom kan de procesregie beter worden gedaan door een projectleider met veel ervaring uit het werkveld, maar daarvoor ontbreken vaak de middelen omdat veel gemeenten ook zelf moeten bezuinigen.

Tekortschietende aanbieders
Het grootste uitvoeringsrisico is dat ondanks alle consensus tussen de overheid en de zorg- en welzijnsinstellingen de laatsten er toch niet in slagen het gewenste aanbod te leveren. Het kan voorkomen dat er convenanten getekend, samenwerkingsverbanden gevormd en opdrachten gecontracteerd zijn, maar dat er in de praktijk toch nog langs elkaar heen wordt gewerkt. Zorgvuldig gekozen structuren kunnen toch ingewikkeld en arbeidsintensief blijken te zijn en daarmee ook te kostbaar. In Nederland worden welzijn en zorg geleverd in een gemengd stelsel, dat bestaat uit overheidssturing én dienstverlening door zelfstandige instellingen. Dit maakt de startsituatie voor de stelselwijziging erg complex, want allerlei instanties en aanbieders moeten in een nieuwe constellatie hun werk gaan doen. Gaan de gemeenten zelf de zwaardere zorgvragen doorverwijzen, gaat de GGD dit doen, een nieuw te vormen orgaan of wordt dit opgedragen aan de aanbiedende organisaties? In de kern is hier de opgave dat een ingewikkelde situatie moet worden vereenvoudigd, liefst met behoud van bestaande kwaliteiten en specialismen. Met daarbij

een bezuinigingsopdracht is de kans reëel dat er aanbod of aanbieders wegvallen en dus dat er niet geleverd kan worden wat gewenst wordt. Eigenlijk is het nodig dat er op meerdere niveaus tegelijkertijd precies wordt nagegaan voor welke groep welke vormen van ondersteuning en zorg nodig is en dat de bestaande instellingen en hun professionals hun activiteiten hergroeperen. Dit reorganisatieproces is te complex om in één of enkele jaren te kunnen worden doorgevoerd en dus zal het lange tijd duren voordat het is afgewikkeld. In de tussentijd blijft het gevaar bestaan dat er vertragingen optreden in de herstructureringen en er gaten vallen in het aanbod. Het gevolg kan zijn dat op de ene plek er een overschot is en op een andere plek een tekort. Er is een behoefte aan een meervoudige procesregie – op zichzelf al een opgave om die te ontwikkelen.

3.5 Strategie voor een vitaal sociaal domein

Tot zover deze *tour d'horizon* van het transformatieproces, met zijn grote ambities en forse risico's. De laatste zijn onomwonden weergegeven en dat kan leiden tot scepsis en moedeloosheid. Ook al blijkt de bij ons nagestreefde situatie in andere landen te werken, is toch de kans niet groot dat we vastlopen in het veranderingsproces? Dat risico is zeker aanwezig maar de mogelijkheid dat het uiteindelijk lukt óók. Want dat blijkt immers eveneens uit de internationale studie: decentralisatie en transformatie zijn algemene trends in Europa en er is over het geheel voortgang geboekt, vooral bij het verbinden van familiale steun, sociale voorzieningen professionele ondersteuning en hulp. Ook in ons land zijn er genoeg voorbeelden van projecten en werkwijzen waarin dat effectief gebeurt. In feite is de transformatie al jaren geleden begonnen, met wijkprojecten om bewoners te activeren, met initiatieven om meer de gezinnen te steunen in plaats van de individuen, met de herstel-benadering in de GGz en dergelijke. De kunst is om deze initiatieven nu uit te breiden van losse projecten naar de hoofdstroom van verandering.

Om dit te bereiken is het nodig een strategische blik vast te houden, zoals al bepleit aan het einde van het vorige hoofdstuk. Het gaat niet om de stelselwijziging sec, maar om de achterliggende strategie: creëren van een vitaal sociaal domein waarin de eigen kracht van burgers in balans is met professionele hulp en zorg. Niet om het installeren van een nieuwe structuur maar om het losmaken van de energieën die tot dit nieuwe sociaal domein kunnen leiden. Juist doordat er miljoenen burgers en tienduizenden professionals betrokken bij het domein zijn ligt er ook een immense potentie om tot andere vormen en verhoudingen te komen. Vanuit deze 'energetische' benadering gaan we in de rest van dit boek na hoe we de ambities en de risico's productief kunnen maken. Wat valt er aan te doen?

4 Drie sleutelopgaven

De transformatie is een enorme opgave met grote risico's. Hoe houden we die risico's in toom? Een hoe bieden we ruimte voor de kansen? Zoals bij veel complexe vraagstukken is de beste weg om het grote en ingewikkelde probleem op te delen in afzonderlijke, meer overzienbare en oplosbare opgaven – en daarbij het einddoel in het oog te houden. Dit einddoel is een andere, meer geïntegreerde en op elkaar inspelende werking van het totale pakket van (informele) ondersteuning, hulp en zorg in het netwerk van voorzieningen in het sociaal domein. Acties aan de voorkant moeten leiden tot gewenste effecten aan de achterkant en omgekeerd. Vanwege de complexiteit lijkt dit een schier onmogelijke opgave. Toch hebben we eerder dit doel omschreven als een utopie onder handbereik. In de ons omringende landen is men immers al een flink eind toegegroeid toe naar een stelsel zoals bij ons beoogd, dus het einddoel is helder en vroeg of laat waarschijnlijk wel te benaderen. Het probleem is de weg er naar toe.

Bij de transformatie van het sociaal domein gaat het om een verandering van de werkwijze en de daarbij behorende structuur van vraag en aanbod om deze werkwijze te realiseren. De doelen staat voorop, de structuur moet deze mogelijk maken. Deze doelgerichte vernieuwing is samen te vatten in drie grote veranderingsopgaven:
» Uitbouwen van sociale netwerken van burgers
» Creëren van een markante lokale ondersteuningsstructuur
» Samenhang brengen in het totale aanbod.

Elk van deze opgaven wordt hieronder uitgewerkt. Daarbij gaat het niet alleen om het inhoudelijke resultaat – het voorzien in een ondersteuningsbehoefte – maar ook om een samenwerkingsopdracht. Er moet een prestatie worden geleverd en daartoe moeten ook de handen ineen worden geslagen. Wat is de prestatie en van wie zijn de handen?

4.1 Uitbouwen van sociale netwerken van burgers

Burgerkracht, informele zorg, wederkerigheid en zelforganisatie zijn steekwoorden om de wenselijkheid aan te geven dat mensen elkaar gaan ondersteunen om zelf welzijn en zorg te gaan uitvoeren. Het Sociaal en Cultureel planbureau gaat in het SCP-rapport 2012 'Een beroep op de burger' in op de mogelijkheden van de overheid om burgers meer eigen verantwoordelijkheid te geven bij het realiseren van publieke diensten. Het rapport is hierover licht sceptisch tot voorzichtig positief. Een terugtredende overheid die voorzieningen afbouwt roept minder burgerkracht op dan een uitnodigende overheid die bewoners invloed geeft op de gemeentelijke dienstverlening of die buurtbudgetten vrij maakt. Het rapport komt tot de conclusie dat burgerkracht het meest gedijt bij een samenwerking tussen overheid en burger in een 'geregisseerde eigen verantwoordelijkheid' van burgers. De overheid moet zorgen voor effectieve systemen en een rechtvaardige verdeling van middelen, maar daarbij ruimte creëren en stimulansen geven aan burgers om zelf bij te dragen aan de door hen gewenste leefomstandigheden. Dat vereist een intensief samenspel. Er is sprake van een co-creatie tussen overheid en burgers, waarbij de afbakening van doelen en handelingsruimte voor burgers nauw luistert.

Burgerkracht wordt vaak ideëel en ideologische opgevat (en fel bediscussieerd), maar is in essentie praktisch. In Brabant bestaan inmiddels diverse lokale zorgcoöperaties, waar bewoners als vrijwilligers elkaar mentaal en praktisch steunen. Landelijk is er sprake van een opbloei van allerlei burgerinitiatieven, waarvan de meeste zich richten op langer zelfstandig thuis blijven wonen voor ouderen. De variatie van initiatieven is indrukwekkend.

Zorgcoöperatie Hoogeloon

Professionals schakelen vrijwilligers in, maar vrijwilligers schakelen ook professionals in, zoals bij de zorgcoöperatie in het Brabantse dorp Hoogeloon. Dit is een vereniging van bewoners die vooral onderlinge informele ondersteuning organiseert, maar ook optrad als inhoudelijk opdrachtgever bij het bouwen van twee zorgvilla's door een woningcorporatie en vervolgens het exploiteren daarvan door een zorginstelling. Zo kunnen ouderen met dementie in de vertrouwde omgeving blijven wonen, gesteund door aandacht en hulp van hun dorpsgenoten. Zorgcoöperatie Hoogeloon heeft enkele honderden leden en tientallen vrijwilligers. In ons land was ze een van de eerste van dit type burgerinitiatieven en heeft inmiddels ruime navolging gekregen, ook in de steden.

Naast de nieuwe initiatieven bestaan er al vele jaren voorbeelden van actieve betrokkenheid van burgers bij publieke voorzieningen zoals het beheren van een buurtspeeltuin of het meehelpen van ouders op de plaatselijke basisschool door voor te lezen of op te passen buiten de lestijden. Instellingen voor gehandicaptenzorg beschikken vaak over een indrukwekkend arsenaal aan vrijwilligers. Er is in ons land dus een sterke traditie van burgerbetrokkenheid. Maar hoe ontwikkel je nu voldoende sociale netwerken en wederkerigheid als onderdeel van een dekkend stelsel van ondersteuning en zorg? Zijn burgerinitiatieven dan voldoende robuust en kunnen ze ook formele zorg voorkomen of zelfs vervangen? Wat is de spankracht van actieve burgers? Onderzoek naar vrijwilligerswerk laat zien dat het vaak 'schuurt' tussen professionals en vrijwilligers en dat hierdoor de potentiële winst van de informele

41

ondersteuning en zorg te weinig wordt gerealiseerd[8]. Wat doe je als gemeente wanneer burgers met te weinig initiatieven komen? In Rotterdam is vanuit het lokale geriatrische netwerk een project gestart om vanuit zorg- en welzijnsinstellingen professionals aan te stellen die het sociale isolement van ouderen moeten doorbreken. Hun opdracht is om kwetsbare personen in contact te brengen met minder kwetsbare of vitale mensen in hun omgeving, via suggesties voor klusjes, koffieochtenden of gezamenlijke uitjes. Als zo in een buurt sociale netwerken zijn ontstaan laten ze die weer los en gaan door naar de volgende wijk. Tijdens hun activeringswerk letten ze ook op een mogelijke behoefte van ouderen op ondersteuning en zorg en geven dat door aan het welzijnswerk, de thuiszorg of de sociale dienst. Hier gaat het dus niet om een burgerinitiatief maar om een versterking van het sociale netwerk vanuit de publieke dienstverlening.

De bovenstaande voorbeelden laten zien dat versterking van sociale netwerken van burgers op allerlei manieren kan worden nagestreefd en dat daarvoor bruikbare voorbeelden bestaan. In de transformatie is het de opgave om hiervoor een werkwijze te ontwikkelen waarin formele en informele ondersteuning en zorg zo complementair aan elkaar worden dat er een duurzame combinatie ontstaat. Deze combinatie is sterk geënt op de lokale omstandigheden, bestaande sociale netwerken en initiatieven. Een algemeen geldende formule bestaat niet. Dat eist van de gemeente en de instellingen dat ze een maximale gevoeligheid ontwikkelen voor bestaande of opkomende informele activiteiten en daar respectvol en ondersteunend mee omgaan. Dit betekent tevens ruimte laten voor ongebruikelijke oplossingen en het terugdringen van eigen bureaucratie en normen. Die zijn vaak hardnekkig. Zo werd er in een Fries dorp een voorstel gedaan door een groep moeders die actief wilden worden als medebegeleidsters in de plaatselijke peuterspeelzaal. Hun initiatief liep vast op de weerstand van de leidinggevende van de

---

8   Verhoeven, 2013

peuterspeelzaal: de meeste groepsleidsters waren flink op leeftijd en zouden de extra belasting van de moeders als medebegeleidsters niet aan kunnen. Inschakeling van de moeders kon alleen als er een extra assistent vanuit de organisatie zou worden ingezet, dus tegen hogere kosten. Dat was voor de gemeente onacceptabel. De inzet van vrijwilligers zou toch juist kostenverlagend moeten werken? De gemeente had sympathie voor de moeders maar kon de subsidievoorwaarden niet zo maar veranderen. De moeders kregen de door hun gewenste rol niet.

Versterking van sociale netwerken vraagt om kleinschalige initiatieven, gedragen door burgers, professionals en gemeente. De opgave is om vanuit deze drie posities allerlei kleine projecten en verbanden op te zetten, die gezamenlijk optellen tot een dekkend patroon van activiteiten, over een dorp, wijk of stad. Het is een vorm van micro-regie, via vele kleine operaties in de haarvaten van de samenleving. Zoals het Sociaal en Cultureel Planbureau al signaleerde is dit een heel specifieke en delicate opgave, die erg kwetsbaar is voor institutionele of bureaucratische inperkingen en daarom om eigen aandacht vraagt, naast alle institutionele veranderingen. Uiteindelijk moet het ondersteunen van initiatieven van burgers in opdracht van de gemeente aan organisaties in het lokale veld een eigen plaats krijgen. De kunst is om hierbij aan te sluiten op de lokale verhoudingen en tradities. Zo werd in 1913 in het Drentse dorp Nieuw-Balinge een dorpsvereniging opgericht die in de 21e eeuw onder de naam Plaatselijk Belang nog steeds de bindende factor is tussen de bewoners. In samenwerking met het welzijnswerk en de gemeente is nu een zorgloket opgericht, ook om oudere bewoners te steunen om langer zelfstandig in het dorp te kunnen blijven wonen. Hier hoefde de gemeente geen burgerinitiatief te stimuleren. De eigen kracht van bewoners in Nieuw-Balinge is al een eeuw oud.

4.2 Creëren van een markante lokale ondersteuningsstructuur

De voorbeelden uit naburige Europese landen laten zien dat gemeenten in beginsel heel goed in staat zijn om een breed palet van voorzieningen te onderhouden. Voor de jeugd varieert dit van kinderopvang, peuterspeelzalen tot jongerenwerk en jeugdzorg. In de drie decentralisaties in ons land is voorzien dat gemeenten nu zeggenschap krijgen over de jeugdvoorzieningen, de brede maatschappelijke ondersteuning en participatie voor mensen met afstand tot de arbeidsmarkt. Op elk van deze drie domeinen is dat een aanzienlijke verruiming van taken. Dit plaatst gemeenten voor de uitdaging om hier één samenhangend aanbod van te maken. Dit is betrekkelijk nieuw. Welzijn en thuiszorg vallen beide onder de Wmo maar worden doorgaans apart gesubsidieerd of aanbesteed. Het maatschappelijk werk wordt gezien als een zelfstandig aanbod, dat los staat van sociaal-cultureel werk, opbouwwerk of jongerenwerk. Welzijnsorganisaties zijn doorgaans volgens de lijnen van deze diverse werkvormen georganiseerd en zijn nu bezig om de eerste schreden te zetten naar een geïntegreerd wijkgericht aanbod. Gemeenten subsidiëren deze werkvormen vaak afzonderlijk en dat helpt ook niet om tot een samenhang in de ondersteuning te komen. De Centra voor Jeugd en Gezin waren bedoeld om jeugdigen en gezinnen met één aanbod te benaderen maar in de praktijk zijn de meeste CJG's niet verder gekomen dan een gezamenlijke huisvesting van verschillende aanbieders, die niet zelden nog hun eigen openingstijden, telefoonservice en huisstijl handhaven. Het werken onder één dak heeft wel geholpen om sneller naar elkaar te verwijzen, maar er wordt vaak nog langs elkaar heen gewerkt en soms ook nog geconcurreerd om cliënten.

Een samenhangende lokale ondersteuningsstructuur is nodig om de dienstverlening voor de burger overzichtelijker, compacter, toegankelijker en effectiever te maken. Hiervoor zijn de sociale wijkteams in het leven geroepen. Deze signaleren wensen en problemen van burgers, voeren vraagverheldering uit, stellen een ondersteuningstraject voor, schakelen hulpverleners in en blijven de casus volgen, eventueel in de vorm van casemanagement. Een als succesvol gepresenteerd voorbeeld zijn de wijkcoaches in Enschede. De gemeente heeft wijkzorgteams opgericht met daarin medewerkers van hulpverleningsorganisaties, zoals maatschappelijk werk, thuiszorg, begeleiding van mensen met een beperking (MEE) en jeugdzorg. Vanaf 2008 is zo de samenwerking met deze organisaties in gang gezet, waarbij bleek dat deze nog te weinig samenwerkten en vooral multiprobleemgevallen niet goed werden aangepakt. Daarom regelde de gemeente in 2010 met de partnerorganisaties dat elk wijkzorgteam door hen werd voorzien van wijkcoaches, brede hulpverleners met een ruim mandaat om hulp en zorg in te zetten, desnoods ook dwingend. De wijkcoach werd beschouwd als een sociaal huisarts in de wijk. Een evaluatie uit 2012[9] wees uit dat aanzienlijke groepen bewoners hebben geprofiteerd van deze aanpak doordat ze actiever zijn geworden, soms werk hebben gevonden en in het algemeen meer sociale vaardigheden hebben ontwikkeld, ten minste als ze gedurende langere tijd werden ondersteund. Een externe commissie oordeelde dat de belangrijkste succesvoorwaarden lagen in een persoonlijke benadering, het geven van vertrouwen aan bewoners, het bijbrengen van zelfredzaamheid en in de langdurigheid van de aanpak[10].

De in Enschede geconstateerde succesvoorwaarden zijn niet altijd aanwezig bij de sociale wijkteams in andere gemeenten. Vaak worden deze meer 'beleidsgestuurd' ingevoerd. Dat wil zeggen dat het model van sociale wijkteams na een (soms langdurige) politieke en ambtelijke discussie binnen de gemeente wordt ingevoerd zonder echt een voorafgaande raadpleging met de partnerorganisaties die al in de wijken actief zijn. Zo kan het gebeuren dat een huisarts via een folder op de hoogte wordt gebracht van het feit dat er zijn wijk een sociaal wijkteam is opgericht waarmee hij intensief moet samenwerken. Er zijn voorbeelden bekend

---

9   Klok et al., 2012

10   Nicis/Platform 31, 2011

van projectleiders van sociale wijkteams die bij de huisarts op bezoek gingen met het verzoek voortaan casuïstiek te willen doorsturen waar het zou gaan om kwetsbare mensen met een ondersteuningsbehoefte. De reactie van de arts als medisch zorgverlener was negatief, want kennelijk werd privacy niet belangrijk gevonden. Dit, terwijl veel huisartsen te kennen geven juist wel een grote behoefte te hebben aan een directe verwijzingsmogelijkheid voor cliënten met niet-medische problemen, zoals sportactiviteiten voor mensen die te weinig bewegen of dagbesteding voor vereenzaamde mensen (zoals in het project 'Welzijn op recept' in onder meer Nieuwegein). Gemeenten presenteren 'hun' sociale wijkteam in dit soort situaties als een verbetering of alternatief voor de bestaande ondersteuningsnetwerken in de wijk terwijl deze samenwerking vaak al een behoorlijke staat van dienst heeft. Er ontstaat dan controverse over de taken, positie en samenstelling van het sociale wijkteam terwijl huisartsen, wijkverpleegkundigen, maatschappelijk werkers en welzijnswerkers eerder behoefte hebben een volgende stap te zetten in hún onderlinge samenwerking. Dat beoogt een sociaal wijkteam doorgaans ook, maar bij een plompverloren introductie komt het team juist tegenover de lokale hulpverleners te staan in plaats van ertussen. Het effect is dat veel sociale wijkteams een negatieve start hebben en geen kwetsbare burgers in beeld krijgen doordat de al in de wijk werkzame hulpverleners geen zin hebben hun cliënten te delen met een overheidsinitiatief dat hen negeert.

Op zichzelf kunnen sociale wijkteams een goed instrument zijn om verbindingen te leggen tussen verschillende organisaties en zo een samenhangende ondersteuningsstructuur te scheppen. Dit gaat vaak moeizaam, niet alleen doordat de gemeente bij de start de bestaande verbanden negeert maar ook omdat het sociale wijkteam veelal wordt gezien als een brede oplossing voor allerlei problemen. Een sociaal wijkteam is een middel om burgers in beeld te krijgen, eerste ondersteuning te bieden en plannen te maken voor verdere hulp en zorg. Maar als de uitvoering van die planning elders moet gebeuren kan het nog mis gaan, zeker als die uitvoerders (zoals de hierboven genoemde huisarts) niet bij de planning betrokken worden. Het echte 'volume' van de ondersteuningsactiviteiten ligt doorgaans buiten het sociale wijkteam en ook dáár moet worden samengewerkt. In Enschede lukte dat redelijk goed doordat de aanpak met wijkcoaches werd ontwikkeld vanuit een geleidelijk proces tussen gemeente en partnerorganisaties, zodat de laatsten zich ook geroepen voelden om hun ondersteuningswerk te laten aansluiten op 'hun' wijkcoaches. Hierdoor kon een integrale aanpak vanuit een wijkteam zich ook in de breedte van het aanbod ontwikkelen.

Inmiddels hebben meerdere gemeenten de vaardigheid opgebouwd om samenwerking over het hele volume van de ondersteuning te organiseren. In Rotterdam gebeurt dat minder via de weg van geleidelijkheid en meer via contractering. De ondersteuning van kwetsbare mensen wordt in één aanbesteding uitgezet aan samenwerkingscombinaties van maatschappelijk werk, welzijnswerk en thuiszorg. Welzijns- en zorginstellingen schrijven in als combinatie, soms met een eigen projectnaam. Ze verplichten zich door middel van een gezamenlijk dienstenpakket ('blended dienstverlening') kwetsbare mensen te benaderen en te ondersteunen. Maatschappelijk werkers en (thuis)zorgverleners spelen op elkaar in. De prestaties van de combinaties worden (evenals in Enschede) ook beoordeeld aan de hand van een verbetering in de zelfredzaamheid en participatie van de cliënten. Omdat die resultaten beter worden bereikt bij nauwe samenwerking gaan de partners in combinatie zich hier ook op richten.

Samenwerking in de uitvoering van welzijn en hulpverlening is ook hier de sleutel om tot een werkelijk geïntegreerd aanbod te komen, dat ook dicht bij burgers kan 'leveren'. Die samenwerking kan op verschillende manieren worden georganiseerd, via een accent op vaste samenwerkingsverbanden maar ook met een nadruk op integrale contracten. Daarbij is het gewenst dat die samenwerking in de lokale ondersteuning ook een geprofileerde vorm heeft. De structuur moet *markant* zijn, waarmee bedoeld is dat die zich manifesteert in een kenmerkende lokale verschijning die eenvoudig is en dat die voor burgers herkenbaar en vertrouwd kan worden. Dat kan een bewonersvereniging zijn, een dorpsondersteuner, een wijkcoach of een centrum voor dagactiviteiten – de essentie is een duidelijk 'gezicht', een duidelijke (digitale) locatie en een aanspreekbare persoon en dito activiteiten. Via die herkenbare lokale structuur wordt voor burgers een breed aanbod van ondersteuning ontsloten. Hoe meer die markante structuur is afgeleid van lokale behoeften en gewoonten, des te beter werkt deze als stimulerend centrum tussen burgers, hun wederzijdse ondersteuning en het professionele aanbod. Een voorbeeld hiervan is de keuze van de gemeente Zeist om in het dorp Austerlitz een dorpsondersteuner aan te stellen, die in samenwerking met de door bewoners opgezette zorgcoöperatie optreedt als een brede adviseur voor zorg en welzijn. Ook functioneert deze als lokaal Wmo-loket. Door haar spreekuur en huisbezoeken op afspraak is zij het herkenbare aanspreekpunt voor het hele ondersteuningsaanbod in de gemeente.

4.3 Samenhang brengen in het totale aanbod

Het versterken van het sociale netwerk en het kiezen van een markante structuur voor de lokale ondersteuning richten zich vooral op de activiteiten binnen de grenzen van één gemeente. Een belangrijk deel van de ondersteuning bestaat echter uit meer specifieke en specialistische hulp en zorg, die wordt uitgevoerd door een breed spectrum van allerlei instellingen. In de afgelopen decennia is er een enorm gedifferentieerd stelsel ontstaan van honderden hulpvormen. Dit aanbod is verkokerd – dat is nu de gangbare kritiek – maar óók verfijnd en veelzijdig. Net als in de somatische zorg zijn er talloze specialismen die raad weten met een grote diversiteit aan vragen, wensen en behoeften van burgers. De kunst is nu om dit rijke aanbod zoveel mogelijk in te bedden in 'het gewone leven' en dichter bij de dagelijkse wensen en behoeften van burgers te brengen, maar daarbij zo weinig mogelijk de kracht van de vele specialismen verloren te laten gaan. Gespecialiseerd aanbod is een vorm van welvaart, dienstverlening op topniveau. Het voorop stellen van de kracht van de informele zorg en nabije hulpverlening mag niet ten koste gaan van de veelkleurige specialismen die passende antwoorden hebben op specifieke problemen.

Daarbij komt ook dat een belangrijk deel van de vragen en problemen van burgers in het sociaal domein betrekkelijk enkelvoudig is en amper een integrale benadering behoeft. In de discussies over de veranderingen worden vaak multiprobleemgevallen als voorbeeld genomen – werkloosheid, eenzaamheid, schulden, weinig sociale vaardigheden –, maar het merendeel van de vragen is enkelvoudig. Burgers zijn vaak voldoende geholpen met één actie: een traplift om thuis te kunnen blijven wonen, enkele gesprekken met de jeugdarts omdat je zorgen hebt over je kind, of iets gaan doen in de buurt tegen de eenzaamheid. Voor het voorzien in deze enkelvoudige vragen en problemen bestaat een divers aanbod (Wmo-loket, psycholoog, buurtactiviteiten) dat zijn kracht ontleent aan het feit dat het zich op de specifieke behoefte focust om daarin effectief te kunnen voorzien. Die kracht zou aanzienlijk verminderen in effectiviteit, maar ook in (kosten)efficiency, als de aanbieders gedwongen zouden worden bij elk geval integraal te gaan werken. De kunst is dus om integraal te gaan werken waar sprake is van meervoudige problemen maar vooral ook enkelvoudig te ondersteunen waar dat afdoende is.

De uitdaging voor het toekomstige sociaal domein is om al deze vormen van ondersteuning en zorg tot hun recht te laten komen én te laten samenwerken waar dat nodig is. In elk van de leefgebieden van de burger is sprake van informele ondersteuning, lichte ondersteuning en intensieve hulp en zorg. Dit levert een bont palet op van vormen van ondersteuning en interventie. In het schema op pagina 51 worden enkele kenmerkende ondersteuningsvormen weergegeven (niet volledig, want dan zouden vele pagina's nodig zijn).

Dit schema legt andere accenten dan in overzichten die doorgaans worden gebruikt. Er is onderscheid gemaakt tussen de sociale en maatschappelijke omgeving van burgers om recht te doen aan de variatie in contacten waar mensen behoefte aan hebben. Verder is de burgerkracht en informele ondersteuning als een aparte 'laag' in het model toegevoegd. De 'sterke samenleving' is van groot belang, want dit is immers waar de transformatie zich ook op richt: de *civil society*, zoals die dagelijks door burgers wordt gecreëerd.

Samenhang en samenwerking in dit totale aanbod is nodig om dat meer toegankelijk te maken voor burgers én om het geheel effectiever en efficiënter te laten werken. Hoe kan die samenhang tot stand komen? Het totale aanbod coördineren lijkt onbegonnen werk. In beginsel moet samenwerken ook een verantwoordelijkheid zijn van de aanbieders en de professionals, die uit eigener beweging elkaar moeten opzoeken en aanvullen. Maar die samenwerking kan wel worden gestimuleerd door enkele brede acties.

In de eerste plaats kunnen vanuit de lokale ondersteuningsstructuur impulsen uitgaan naar de andere, meer gespecialiseerde aanbieders om hun aanbod af te stemmen op de formele en informele ondersteuning die dichtbij de burger wordt aangeboden. Wanneer bijvoorbeeld een multiprobleemgezin wordt begeleid volgens de principes van intensieve pedagogische thuisbegeleiding (IPT) kan de hulpverlener ook nagaan of de moeder ondanks haar stress toch ook kan optreden als oppasmoeder in de peuterspeelzaal (waar ze andere moeders ontmoet) en of de vader misschien kan helpen bij klussen voor ouderen in de buurt. Activeren van mensen is soms een betere remedie tegen onmacht en isolement dan het aanbieden van hulp en training. Intensieve ondersteuning moet worden aangevuld – en ten dele ook vervangen – door lichte ondersteuning. In principe is dit ook de opdracht voor de meeste sociale wijkteams of de andere basisteams die op verschillende manieren worden aangeduid (lokaal zorgnetwerk, kinder- & jeugdteams, CJG-team et cetera). Gemeenten zetten ook stevig in op deze basisteams, die worden toegerust met algemeen geldende methodieken voor vraagverheldering

niveau van ondersteuning	leefgebieden					
	leren	opgroeien/opvoeden	leven & gezondheid	sociale contacten	maatschappelijke omgeving wijk/dorp	werk/dagbesteding
individu/gezin regisseren/corrigeren	leerplichttoezicht	jeugdbescherming	verpleegzorg, FACT-GGz	bemoeizorg/OGGz	politie/wijkagent	tegenprestatie
individu/gezin versterken	zorgteam scholen	jeugdhulp, jeugd-GGz, Jeugd-LVB	thuiszorg, maatschappelijk werk	sociale steun-systemen	participatie in sport/cultuur	sociale dienst/UWV
individu/gezin ondersteunen	(passend) onderwijs	jeugdarts, opvoedhulp	huisarts, psycholoog, wmo-voorziening	maatjesproject	welzijnswerk	werkbemiddeling
sterke samenleving burgerkracht	oppas- en voorleesouders	steun van familie & vrienden	mantelzorg, zorgcoöperatie	burenhulp	buurtbemiddeling	vrijwilligerswerk

Vormen van informele en formele ondersteuning naar niveaus en leefgebieden

en triage, uitwisseling van gegevens tussen ondersteuners (direct of via ICT-systemen) en gezamenlijke training en coaching voor de samenwerkende professionals. Compacte triage-instrumenten voor breed en multidisciplinair gebruik zijn inmiddels ontwikkeld, zoals het eerder genoemde Common Assessment Framework in Engeland en in ons land in meerdere regio's (grote steden, Midden-Brabant).

Vanuit de lokale ondersteuningsstructuur kan veel worden gedaan aan samenhang en samenwerking in het totale aanbod van ondersteuning, maar de reikwijdte en invloed van basisteams is uiteindelijk beperkt. Dat knelt vooral als het er om gaat verschillende specialistische disciplines en hun organisaties te laten samenwerken. Er bestaan nu allerlei samenwerkingsverbanden in het sociaal domein, zoals de buurtzorgnetwerken, Centra voor Jeugd en Gezin, Werkpleinen, Veiligheidshuizen en de samenwerkingsverbanden Passend Onderwijs. Maar in al deze verbanden keert steeds het knelpunt terug dat het lastig is om de partnerorganisaties echt te laten samenwerken. Door specialisatie zijn organisaties uit elkaar gegroeid. Een voorbeeld daarvan is de aanpak van verslaving, ontstaan in de jaren zeventig binnen de GGz-sector maar van daaruit verzelfstandigd tot aparte instellingen, waarin de verslavingszorg als specialisme werd uitgebouwd. Inmiddels is er sprake van twee werelden met eigen werkwijzen en taalgebruik. Ook lokaal zijn er kloven. Huisartsen spreken weinig met jeugdartsen. Welzijnswerkers en zorgverleners staan vaak nog ver van elkaar. De wereld van participatie en werk heeft weinig bemoeienis met die van de maatschappelijke dienstverlening. Scholen zijn gewend om hun eigen problemen op te lossen en doen meestal pas laat een beroep op externe hulpverleners. Onder invloed van de decentralisaties en de debatten daar omheen beginnen de schotten nu geleidelijk te wijken en gaan de organisaties samenwerking met elkaar aan. Maar er is nog een lange weg te gaan. Een echte doorbraak is alleen te bereiken wanneer multidisciplinaire teams van professionals van verschillende specialismen een concrete verantwoordelijkheid krijgen om samen te werken. Dit kan worden gerealiseerd door de opdrachten, verantwoordelijkheden en teams scherp te omschrijven. Gemeenten kunnen en moeten hierbij als opdrachtgever een voorname rol spelen. Hoe formuleer je een opdracht die tot samenwerking prikkelt? Dit is een belangrijke invalshoek, waar latere hoofdstukken verder op zullen ingaan.

Bij die opdrachtverlening door gemeenten (en 'opdrachtneming' door instellingen) blijft het een gegeven dat gemeenten geen alleenheerschappij hebben in het sociaal domein. In de allereerste plaats bepaalt de burger zelf zijn informele ondersteuning en wordt vanuit het gemeentelijke aanbod bezien wat verder nodig is. Maar ook op andere plekken is de invloed van de gemeente begrensd. De huisarts wordt betaald door de zorgverzekeraar. Als kinderen achttien worden verliezen ze de toegang tot gemeentelijk bekostigde jeugdhulp en jeugd-GGz (hier creëert de decentralisatie jeugdzorg zelfs een nieuw schot, tussen de GGz voor jeugd en voor volwassenen). Middenklassegezinnen kijken op internet om een passende vrij gevestigde psycholoog te vinden, die ze desnoods zelf betalen. Ouderen doen een beroep op de gemeente voor Wmo-voorzieningen en thuiszorg, maar krijgen hun persoonlijke verzorging vergoed vanuit de ziektekostenverzekering, waaruit ook de wijkverpleegkundige wordt betaald. Gemeenten zijn dus een kernspeler in het sociaal domein, maar burgers maken eigen keuzes en de grote geldstromen gaan nog steeds via de zorgverzekeraar en het zorgkantoor. De toekomst is dus aan allianties en convenanten tussen deze partijen, die moeten leiden tot meer samenhang in het hele sociaal domein. Deze allianties moeten niet alleen betrekking hebben op proeftuinen en experimenten, maar uiteindelijk ook een fors deel van de ondersteuning omvatten – het 'volume' dat hierboven al aan de orde is geweest. Gemeenten en zorgverzekeraars moeten een gezamenlijk regiem definiëren, nodig om het netwerk van onderlinge afhankelijkheden tussen aanbieders aan te sturen. Van een dergelijke gezamenlijke 'netwerkstrategie' bestaan inmiddels voorbeelden, zoals in de Brabantse gemeente Peel en Maas, waar gemeente en zorgkantoor in de loop van de jaren als gezamenlijke opdrachtgever de dagbesteding voor oudere en kwetsbare burgers hebben ontwikkeld. Gezamenlijk opdrachtgeverschap vraagt veel 'inleertijd'.

4.4 Doelgerichte ontwikkelingsstrategie

Hierboven is de transformatie van het sociaal domein toegespitst op drie centrale veranderingsopgaven.

» De eerste opgave is het uitbouwen van sociale netwerken van burgers. Dit kan worden nagestreefd door burgerinitiatieven zoals zorgcoöperaties ruim baan te geven of in kwetsbare gebieden ondersteunende professionals in te zetten om burgers informeel aan elkaar te verbinden.

» Een tweede opgave is het creëren van een markante lokale ondersteuningsstructuur, een karakteristieke vorm die past bij de plaatselijke verhoudingen en gewoonten. Dit kan bijvoorbeeld door een dorps- of wijkondersteuner als 'sociale huisarts' aan te stellen, door een geleidelijke uitbouw van de samenwerking tussen instellingen via een sociaal wijkteam of door in combinaties samenwerkende partijen te contracteren om geïntegreerde diensten aan te bieden.

» De derde opgave is het creëren van samenhang in het totale aanbod van ondersteuning met zijn vele specialismen die in de loop van de jaren zijn ontstaan. Hiervoor is nodig dat de lokale ondersteuningsstructuur ook de specialistische aanbieders prikkelt tot samenwerking, dat de verschillende disciplines en hun organisaties ook via opdrachten worden gecontracteerd om samen te werken en dat gemeenten en zorgverzekeraar een gezamenlijke netwerkstrategie voor het totale aanbod ontwikkelen.

Het bovenstaande is te omschrijven als een doelgerichte ontwikkelingsstrategie, die direct inzet op de ontwikkeling van een geïntegreerd aanbod en daartoe de passende prikkels inbouwt. Dit staat in tegenstelling tot een strategie die zich eerst richt op het 'overnemen' van het bestaande aanbod van ondersteuning en hulp en vervolgens nagaat hoe dit kan worden geïntegreerd. Bij deze laatste strategie is het risico groot dat gevestigde structuren te lang worden gecontinueerd en integratie later moeilijk wordt. De transformatie moet vanaf het begin inhoudelijk vorm krijgen om de hoge ambitie (zie hoofdstuk 3) waar te kunnen maken.

In de volgens hoofdstukken wordt nagegaan hoe deze doelgerichte ontwikkelingsstrategie gestalte kan krijgen bij de inrichting en sturing van het sociaal domein.

5 Ondersteuningsbehoeften

5.1 Behoeften zijn normatief én feitelijk

In beginsel heeft de transformatieopdracht een scherpe focus: stimuleer de burgers, de lokale samenleving en de daar werkende hulpverleners om zo veel mogelijk te voorzien in de plaatselijke behoeften aan ondersteuning. Dit leidt op termijn tot minder zware vragen en problemen en dus minder kosten. Vanuit deze opdracht is een ondersteuningsagenda op te stellen. Welke ondersteuning en hulp worden nieuw aangeboden en welke worden voortgezet of veranderd? Om dit te kunnen bepalen is in de eerste plaats een beeld nodig van de ondersteuningsbehoeften van burgers. Wat hebben ze nodig? Dit eenvoudig lijkende uitgangspunt heeft echter een dubbele bodem, die goed gepeild moet worden om tot een werkbare agenda te komen.

In de eerste plaats heeft het begrip 'ondersteuningsbehoefte' in en door de transformatie een normatieve lading gekregen. Burgers vormen het vanzelfsprekende startpunt bij het bepalen van hun behoefte aan ondersteuning, maar die behoefte wordt mede ingekleurd door beleidsmatige opvattingen. Zo wordt er vanuit gegaan dat de burgers ten dele zelf in hun behoeften moeten en kunnen voorzien. De huidige diensten en hulpverlening worden daarom niet gezien als uitgangspunt voor het bepalen van de behoeften. De opvatting is dat er nieuwe aanbodvormen moeten ontstaan, soms een mix van informele en formele ondersteuning, waar nú nog weinig zicht op is. Verder bestaat er ook een beleidsopvatting over het toepassen van drang en dwang bij burgers die vanwege hun problemen overlast geven of hulpverlening vermijden. Hier ligt er druk op het aanbod van ondersteuning en wordt de keuzevrijheid van burgers ingeperkt. De eigen vragen en behoeften van burgers worden dus 'gemengd' met opvattingen vanuit het beleid. Dit betekent dat de lokale ondersteuningsagenda dus méér is dan een optelsom van consumptieve wensen van burgers. De agenda is ook het resultaat van bestuurlijke keuzes.

In de tweede plaats zal het aanbod vanwege de budgetkortingen aanzienlijk gaan krimpen. Er is gerede kans dat aanbod gaat verdwijnen en dat aanbieders zullen moeten stoppen. De ervaring in andere landen heeft uitgewezen dat vooral specialistische instellingen forse stappen terug moeten zetten in bereik en omvang. Hun capaciteit neemt af en dit zal zich al snel gaan manifesteren in wachtlijsten. Verder maken de krimpende middelen nodig dat de ondersteuning in afnemende mate wordt georganiseerd als individueel maatwerk en meer als een efficiënt collectief aanbod, vaak met een kleine individuele component om de individuele burger toe te leiden tot groepsgewijze ondersteuning. Tegelijkertijd vinden veel gemeenten dat burgers juist méér individuele keuzevrijheid moeten krijgen. Economische en liberale principes moeten dus worden gecombineerd. De lokale ondersteuningsagenda zal daartoe kostenbesparende combinaties moeten bevatten van individuele en collectieve oplossingen.

De ondersteuningsagenda neemt dus de behoeften van burgers als vertrekpunt, streeft naar de benutting van hun eigen kracht, maar bevat ook normatieve beleidsdoelen en richt zich op efficiency. Tussen deze verschillende onderdelen van de agenda bestaat ook spanning. De eigen behoeften van burgers kunnen onvervuld blijven als er wachtlijsten zijn. Eigen Kracht staat al gauw haaks op hulp in gedwongen kader. De keuze voor een aanbod van ondersteuning gebeurt dus ook vanuit een afweging tussen principes, leidend tot een mix van ondersteuningsvormen, of een compromis van oplossingen. Vanuit deze invalshoek wordt nu verder nagegaan welke vormen de behoeften aan ondersteuning kunnen aannemen.

Een van de grootste knelpunten in de transformatie is het werkbaar omschrijven van verschillende ondersteuningsbehoeften en daarbij passende groepen op het grensvlak van oud en nieuw. Definities die gebaseerd zijn op de huidige hulpvormen blijven al gauw hangen in de bestaande verkokering daartussen en leiden tot voorspelbaar conserverende indelingen naar aandoening. Deze lenen zich slecht voor een verschuiving van intensieve naar lichte ondersteuning. Anderzijds worden omschrijvingen die de transformatiedoelen als richtlijn nemen al snel ideaaltypisch en abstract. Er wordt een soort geïdealiseerde burger in beeld gebracht, geen mensen van vlees en bloed. Daarom is het beter om ondersteuningsbehoeften te typeren naar meer realistische criteria, die rekening houden met de diversiteit van de behoeften van mensen, de veranderingen en het verloop daarin en de praktische eisen die de uitvoering van de ondersteuning stelt. Die uitvoeringskant vormt immers een belangrijk risico, zoals in het begin omschreven. Hiervan uitgaande zijn er drie soorten behoeften aan ondersteuning te onderscheiden naar hun dominante problematiek. Het gaat dan om sociale behoeften, individuele behoeften en complexe multiproblematiek[11].

sociale ondersteuningsbehoeften	beter functioneren in de sociale en maatschappelijke omgeving
individuele ondersteuningsbehoeften	zelfredzaam worden of blijven ondanks persoonsgebonden aandoeningen of beperkingen
complexe multiproblematiek	hanteren van problemen op meerdere levensdomeinen die elkaar versterken en kunnen escaleren

Hieronder worden deze ondersteuningsbehoeften verder getypeerd. Per behoefte komen de volgende kenmerken aan de orde:
» Dominante problematiek
» Ondersteuning in de conventionele werkwijze
» Ondersteuning vanuit de transformatie

---

11   Voor de leesbaarheid geven we die diverse behoeften hier aan als die van typische groepen. Later wordt dat genuanceerd.

» Hiertoe cruciale type interventie
» Hiertoe cruciale uitvoeringscapaciteit.

5.2 Sociale ondersteuningsbehoeften

Er is een aanzienlijke groep burgers die valt aan te duiden als licht
kwetsbaar. Op zichzelf hebben ze hun leven wel op orde maar ze zijn
er niet tevreden mee, raken snel ontregeld door tegenvallers of grote
levensgebeurtenissen (*life events*) of ze geven problemen voor andere
burgers. Onder deze groep vallen sociaal geïsoleerde ouderen, gezinnen waar het opvoeden gebrekkig verloopt, jongeren met psychosociale
problemen en risicogedrag. Ook betreft het burgers die vanwege lichte
verstandelijke of fysieke beperkingen niet (meer) goed kunnen deelnemen aan het maatschappelijke verkeer. Persoonlijke beperkingen van
deze burgers spelen een rol bij hun problemen, maar die spitsen zich
vooral toe op hun relatie met de sociale en maatschappelijke omgeving:
hoe kan ik beter verkeren met anderen? Hoe handhaaf ik mezelf in de
overheidsbureaucratie? Hoe raak ik niet overbelast? In onze ingewikkelde samenleving zijn deze vragen aan de orde van de dag, ook voor
degenen met een wat lagere intelligentie dan gemiddeld. Hun behoefte
aan ondersteuning richt zich doorgaans op hun sociale context, de relatie
met familie, buren, vrienden, kennissen, de wijk en de stad. Het kan gaan
om een grote groep, ook afhankelijk van regio en plaats (zie verderop
in dit hoofdstuk). In het nieuwe beleid voor jeugdhulp en de Wmo is
deze groep doorgaans omschreven als degene die gebruik maakt van de
basisvoorzieningen en lichte vormen van ondersteuning.

Hoe wordt deze groep nu ondersteund? In beginsel gaat het om het kunnen functioneren op een redelijk bestaansniveau, dus het in contacten,
werk en participatie kunnen (blijven) meedoen. De meest effectieve
vormen van ondersteuning zijn stimulerend en verrijkend. Mensen
worden uitgenodigd en geholpen om activiteiten te ontwikkelen, in

werk of vrije tijd, en om contacten aan te gaan. Vaak is het ook een kwestie van het beter benutten van de bestaande basisvoorzieningen, van welzijn tot huisarts en sportvereniging. Omdat het gaat om tamelijk overzichtelijke en laagdrempelige ondersteuning is deze goed in te passen in het gewone leven en daardoor ook te hanteren voor mensen met deze behoeften. Maar dit is een karige omschrijving, alsof ondersteuning alleen mikt op het 'bijtrekken' van deze groep. Vanuit de transformatie gezien zou de ondersteuning zich meer moeten richten op het activeren en inschakelen van dit soort burgers voor anderen, vaak mensen met meer en zwaardere problemen dan zij zelf hebben. De ervaring heeft geleerd dat het helpen van anderen een van de beste wegen is om het welbevinden van mensen te vergroten en daarmee hun eigen behoefte aan ondersteuning ook te verkleinen. Hier ligt de grootste uitdaging voor de ondersteuningsagenda: deze groep burgers leent zich het meest voor een versterking van eigen kracht en wederkerige steun en hulp. Het doorslaggevende kenmerk van de ondersteuning is dat deze een passende sociale context creëert met de juiste stimulansen voor de burger. Als dat goed lukt is veel gewonnen, ook wat betreft preventie op langere termijn.

Hoe laat dit zich nu vertalen voor de uitvoering van de ondersteuning, als het gaat om sociale vragen en problemen? Anders gezegd, welke *capaciteit* is dan nodig om die ondersteuning effectief te laten zijn? De cruciale interventie is het scheppen van een passende sociale context. Wie en wat is daarvoor nodig? Hier gaat hier immers niet om individuele ondersteuning maar om het oproepen of onderhouden van een context die het effect heeft van ondersteuning. Een voorbeeld hiervan is het eerder genoemde project in Rotterdam waarin professionals het sociaal isolement van ouderen moeten doorbreken. Dit gebeurt door activiteiten te organiseren waardoor kwetsbare personen in contact komen met minder kwetsbare of vitale mensen in de buurt. De Rotterdamse aanpak is getypeerd op haar 'werkzame bestanddelen' (zie voorbeeld).

'Even Buurten' in Rotterdam

In Rotterdam hebben sommige wijken een grote concentratie ouderen, waarvan een groot deel (soms tot 40%) last heeft van eenzaamheidgevoelens en waarbij een depressierisico bestaat. De methode 'Even Buurten' richt zich op sociale activering van deze ouderen.

De werkzame bestanddelen van de methode zijn:

» Versterking van sociale netwerken van oudere burgers via hun eigen initiatief en activiteit, gericht op hun directe welbevinden

» Doorbreken van de onderlinge vraag- en aanbodverlegenheid bij ouderen, via tijd en aandacht voor hun dagelijkse zorgen en interactie

» Contacten aanzwengelen tussen wel en niet kwetsbare mensen totdat er blijvende relaties ontstaan, dan weer verder gaan

» Inzetten van subtiele kennis en ervaring om *net* wel of niet in te grijpen. Los kunnen laten. Brede blik in de wijk. Kunnen reflecteren op eigen betrokkenheid en rol.

Vergelijkbaar hiermee ontwikkelt een Nijmeegse welzijnsorganisatie een aanpak om sociale verbanden (*communities*) te ontwikkelen in wijken waar burgers baat kunnen hebben bij meer onderlinge ontmoetingen. De gesprekken tussen de welzijnswerkers-nieuwe-stijl en de burgers richten zich niet op de uitdieping van hun problemen maar op meer praktische behoeften en de relaties met hun sociale omgeving. De uitvoering van deze ondersteuning betekent hier: sociale netwerken ontwikkelen. Dit is een algemene aanpak geworden in de individuele hulpverlening zoals bij kwetsbare gezinnen of voor psychiatrische patiënten. Eigen Kracht conferenties stimuleren het sociale systeem van gezinnen. Maatschappelijke steunsystemen zijn er op gericht een sociale omgeving voor patiënten te construeren en zodoende 'het gewone leven' zo veel mogelijk te herstellen. Voor het ontwikkelen van sociale netwerken is professionele capaciteit nodig in een overgangsgebied tussen het groepsgerichte welzijnswerk, het vrijwilligerswerk en maatschappelijke dienstverlening. Kwetsbare en vereenzaamde mensen moeten verbonden worden met actieve burgers, vaak met gebruikmaking van allerlei activiteiten en voorzieningen in de buurt. Veel aandacht voor individuele problemen zou de ondersteuning te arbeidsintensief en ook ineffectief en kostbaar maken, dus is het de kunst om interactie tussen mensen op gang te brengen en dan weer verder te gaan. Niet helpen maar verbinden, en daardoor indirect helpen.

5.3 Individuele ondersteuningsbehoeften

In de decentralisaties is er een groep burgers die veel aandacht krijgt: mensen met dominant individuele problemen die nu afhankelijk worden van de ondersteuning vanuit de gemeenten. Hun behoefte aan ondersteuning wordt bepaald door persoonsgebonden kenmerken, zoals een ziekte, een lichamelijke of verstandelijke beperking of een chronisch tekortschietend reactiepatroon bij externe druk. Het gaat om gezinnen en jongeren met stevige en langdurige problemen met opvoeden en opgroeien. Of om ouderen die niet alleen eenzaam zijn maar ook depressief, zichzelf gaan verwaarlozen en daardoor geen toegang meer hebben (of krijgen) tot de bestaande basisvoorzieningen in het welzijnswerk. Verder omvat deze groep mensen met dementie, verstandelijke beperkingen, niet aangeboren hersenletsel, met ernstige psychische of psychiatrische problemen of met een chronische lichamelijke beperking. De diversiteit van de groep mensen met deze individuele ondersteuningsbehoeften is erg groot en dat maakt het ook lastig om te bepalen in hoeverre de ondersteuning nog via de basisvoorzieningen (school, huisarts, welzijn) kan plaatsvinden en in welke mate verdergaand individueel maatwerk nodig is. Licht dementerende ouderen zijn vaak gebaat bij een dagactiviteit (bijvoorbeeld uitstapjes, wandelgroep, samen koken en eten) met een gemengde groep. Maar dementie is een progressieve aandoening. Na verloop van tijd verliezen mensen hun gevoel van eenheid en identiteit, worden ze angstig en onzeker, en is een meer afgeschermde omgeving nodig. Hun individuele aandoening en situatie is een hard gegeven. Onvermijdelijk doet deze groep beroep op meer persoonsgericht maatwerk, vroeg of laat.

Wat is voor deze groep de ondersteuningsbehoefte? Ook hier is weer onderscheid te maken tussen een gebruikelijk, statisch ondersteuningsdoel en een ambitie die voortvloeit uit de transformatie. Het conventionele doel is om het effect van de aandoening of problematiek in te perken en toe te werken naar remedie en revalidatie. Hiervoor is in de afgelopen decennia een indrukwekkend arsenaal aan interventies opgebouwd vanuit zich steeds verder vertakkende specialistische disciplines. Deze ondersteuning is niet zonder meer in te passen in het gewone leven. Eerder is het nodig dit gewone leven aan te passen doordat er extra tijd en gelegenheid moet worden gemaakt voor hulpverlening, vaak buitenshuis. Dit kan variëren van assertiviteitstrainingen, gezinsondersteuning, geheugentraining of revalidatie na een hersenletsel. Maar inmiddels zijn er – passend bij het transformatiedoel – verdergaande methoden ontwikkeld die zich richten op herstel, normalisatie en een resocialisatie, doelen die meer bij de transformatie passen. De aandoenings- en probleemgerichte aanpak wordt hier aangevuld met een (terug)geleiding van het individu naar de samenleving. Dit gebeurt door te zoeken naar meer inbedding in algemene voorzieningen zoals huisvesting in de wijk, onderwijs, werk en een steunende sociale omgeving. De cruciale interventie is hier om een uitdagende 'route' te scheppen voor de betreffende persoon, die er voor zorgt dat juist net die steun én uitdaging wordt gegeven die hem of haar verder helpt om het eigen leven zo veel mogelijk op orde te krijgen. Die 'routing' kan inhouden dat zo veel mogelijk wordt gezocht naar normalisatie, rekening houdend met de ups en downs die sommige ziekten en aandoeningen met zich meebrengen. In de psychiatrie wordt dit een intermitterende werkwijze genoemd, een vorm van hulpverlening die direct meebeweegt met de sterke en zwakke perioden van een cliënt. Routing wordt gedaan door casemanagers met een brede blik op beschikbare vormen van hulp en normalisatie. In de dementiezorg is casemanagement een essentieel instrument geworden (zie voorbeeld).

Verloop van dementie

Duidelijk bij het ziektebeeld dementie is het progressieve karakter ervan. De te bieden zorg (zowel wat betreft de hoeveelheid zorg als de deskundigheid daarvan) neemt toe naarmate de ziekte verergert.

Bij dementie worden vier stadia onderscheiden:

» *Het bedreigde ik*: mensen worden vergeetachtig. Ze zijn nog wel goed georiënteerd maar soms valt er een 'gat' in wat ze nog weten. Ze voelen zich nog 'gewoon', hebben de neiging de vergeetachtigheid te ontkennen en worden gespannen.

» *Het verdwaalde ik*: mensen verliezen hun gevoel voor tijd, plaats en doel van een handeling, ze trekken zich terug in zichzelf en zien er rustig en ontspannen uit.

» *Het verborgen ik*: mensen trekken zich nog verder terug in een eigen wereld en gaan zich veel herhalen. Het lijkt alsof contact niet meer mogelijk is zodat het lijkt dat je ze maar beter met rust kunt laten. Maar hun behoefte is nog wel om zich nuttig te voelen, met als effect dat ze erg eenzaam kunnen worden.

» *Het verzonken ik*: mensen geven vrijwel geen reactie meer, hun ogen zijn vaak gesloten. Het lijkt soms dat iemand in deze fase alleen lichamelijk aanwezig is terwijl ze ook nu nog behoefte hebben aan contact, wat van anderen veel initiatief vraagt.

De rol van de casemanager dementie is om deze stadia te herkennen, de familie en overige mantelzorgers te begeleiden bij het omgaan met de veranderende situatie en ook de zorg hier op aan te passen. De casemanager voelt aan wanneer de cliënt een volgende fase in gaat en neemt bijvoorbeeld tijdig maatregelen om de familie te ondersteunen. Het effect is een beter begrip van de achteruitgang en daardoor het vermogen om het leven voor de betrokkene nog een zekere kwaliteit te geven, ondanks de diagnose en ondanks de ziekte.

Routing betekent een meer effectieve ondersteuning en dat maakt dit 'meebewegende' casemanagement tot een essentieel element in de ondersteuning voor burgers met deze behoeften. Dat 'meebewegen' geldt ook voor de bredere uitvoering. De begeleiding en zorg moet kunnen op- en afschakelen met het verloop van de aandoening of beperking. Als dit verloop dynamisch is – of als er sterk wordt toegewerkt naar herstel van het gewone leven – moeten de diverse hulp- en zorgverleners nauw op elkaar aansluiten om dit verloop te volgen of aan te moedigen. Het gaat er dan om dat het 'veld' van hulp- en zorgverleners flexibel reageert op de wisselende situatie van de cliënt of patiënt. In de GGz wordt dit georganiseerd in de gebiedsgerichte FACT-teams, waarin diverse hulpverleners begeleiding geven aan mensen met een ernstige psychiatrische aandoening waarvan de situatie zodanig is gestabiliseerd dat ze ondanks hun ziekte toch een enigszins normaal leven kunnen leiden, vaak in een eigen woning. Ook in de lichte GGz-hulpverlening wordt steeds meer gewerkt met teruggeleiding en het 'overdragen' van cliënten aan familie en ervaren vrijwilligers. Vergelijkbare gecoördineerde aanpakken zijn ontwikkeld voor mensen met een niet aangeboren hersenletsel (NAH). In de regio Midden-Brabant strekt de NAH-zorgketen zich inmiddels uit van ziekenhuis tot revalidatie, huisarts, andere hulpverleners in de eerste lijn en de familie. Netwerksamenwerking tussen disciplines is de sleutel voor een effectieve ondersteuning.

5.4 Complexe multiproblematiek

De kleinste groep die hier wordt onderscheiden bestaat uit degenen waarvan de ondersteuningsbehoefte betrekking heeft op meerdere levensdomeinen en waarbij de verschillende problemen elkaar oproepen en aanjagen. Hun situatie is vaak crisisachtig en hun gedrag onvoorspelbaar. Het gaat om multiprobleemgezinnen, maar ook dak- en thuislozen, criminaliserende jeugdgroepen, mensen met een ernstige psychiatrische ziekte en ouderen in een verdere staat van dementie en afhankelijkheid.

Soms is bij deze groep sprake van intergenerationele problemen, die van ouders op kinderen zijn overgedragen. Chronische werkloosheid en gebrek aan vaardigheden om in de complexe samenleving een weg te vinden kunnen hardnekkig zijn en verankerd raken in de cultuur en houding van individuen en gezinnen, bijvoorbeeld apathie en zelfverwaarlozing. Men is de regie op het eigen leven kwijt of voert een verkeerde (criminele of zelfdestructieve) regie. Ondersteuning vanuit de basisvoorzieningen en de individuele hulpverlening schieten daarom tekort. Ook bij deze groep is de diversiteit groot en dat leidt er toe dat er in het overheidsbeleid allerlei aanpakken en projecten zijn ontwikkeld voor kleine deelgroepen, zoals bemoeizorg, crisisopvang, ondersteuning van ex-gedetineerden, overlastgevende jeugdgroepen en de regionale veiligheidshuizen. In deze aanpakken hebben zich specialismen ontwikkeld om de specifieke groep in beeld te krijgen en er een gericht aanbod voor te ontwikkelen. Het gevolg is dat er in deze sfeer sprake is van relatief veel initiatieven die soms dezelfde burgers in beeld hebben. Het nieuwe beleid om het langs elkaar heen werken terug te dringen en een integrale casusregie ('één-gezin-één-plan-één-hulpverlener') na te streven betreft vooral deze groep.

Hoe ligt het hier met de transformatieopgave? Met het streefdoel van 'één-gezin-één-plan-één-hulpverlener' lijkt de transformatie al behoorlijk aangezet maar het valt niet mee om deze ambitie in praktijk te brengen. De integrale casusregie lukt vaak niet. De integraliteit wordt vaak per onderdeel nagestreefd en niet over het totale spectrum van problemen. Zo wordt de hulpverlening aan multiprobleemgezinnen in beginsel gecoördineerd door een gezinsmanager, maar die heeft vaak geen invloed op de gemeentelijke sociale dienst als het er om gaat het uitkeringsregiem tijdelijk te versoepelen (of juist te verscherpen). En wat heb je er aan als bemoeizorgwerkers overlastgevende verslaafden op straat bereid krijgen om iets aan hun situatie te doen als ze door wachtlijsten geen toegang krijgen tot de GGz of de verslavingszorg? Of als een rechter niet ingrijpt bij een chronisch school verzuimende jongere omdat de dossiers niet kloppend blijken vanwege administratieve miscommunicatie tussen Bureau

Drie soorten ondersteuningsbehoeften en het daarbij passende aanbod

ondersteunings-behoefte	sociale behoeften	individuele behoeften	complexe multiproblematiek
dominante problematiek	relatie tussen burger en sociale omgeving	individuele aandoening of beperking	elkaar versterkende problemen op diverse levensgebieden
primaire doel ondersteuning	stimuleren/verrijken	remediëren/ revalideren	stabiliseren/ corrigeren
doelen vanuit transformatie	wederkerige steun tussen burgers	herstel/normalisatie en (re)socialisatie	de-escalatie en opdeling problemen
hiertoe cruciale type interventie	creëren van sociale context	'routing' en casemanagement	combineren en doseren interventies
hiertoe cruciale capaciteit in de uitvoering	netwerken ontwikkelen	'meebewegende' begeleiding en zorg	multi-aanpak door 'gewone' professionals

Leerplicht en het Openbaar Ministerie? Dit soort lacunes in de keten zijn op zichzelf begrijpelijk, want het gaat om complexe interventies, die stevig ingrijpen in het gewone leven van de betreffende burgers. Hun leven moet worden gestabiliseerd en soms gecorrigeerd en dat vraagt om een omvattende vorm van bemoeienis met een stevige personele inzet. Het knelpunt van deze conventionele praktijk is dat die in de individuele casuïstiek vaak wel tot resultaten leidt maar er nog weinig in slaagt om dit soort maatschappelijke problemen meer breed en duurzaam aan te pakken. De verdergaande transformatieambitie zou moeten zijn de complicerende problemen meer definitief te de-escaleren. Dit zou het geval zijn wanneer de problemen op de diverse levensdomeinen elkaar niet langer zouden aanjagen doordat ze meer als één geheel worden benaderd én daardoor ze apart worden aangepakt. Dit is te vergelijken met de aanpak van rampen en crises, waarbij tegelijkertijd wordt ingezet op fysieke, juridische, sociale en media-aspecten. Het meest acute en bedreigende probleem wordt als eerste geattaqueerd, waarna snel interventies op andere onderdelen volgen. De cruciale interventie is hier het combineren en doseren van meerdere interventies, die er toe leiden dat na verloop van tijd de problemen worden opgedeeld en hanteerbaar gemaakt. Ze werken niet meer op elkaar in, de onrust neemt af en de problemen kunnen nu elk afzonderlijk beter worden aangepakt. Goed crisismanagement bij een multiprobleemgezin kan er toe leiden dat er – nadat de rust is teruggekeerd – apart hulp wordt geboden voor schulden, huisvesting, opleiding en gedrag. Transformatie voor burgers met complexe multiproblematiek betekent dat een totaalaanpak direct wordt toegepast als die nodig is en dat daarmee geleidelijk de omvang van deze groep kan afnemen.

Welke uitvoeringscapaciteit is nodig voor een echt integrale aanpak van complexe multiproblematiek? In essentie is het noodzakelijk dat reguliere hulpverleners in staat zijn om in geëscaleerde situaties te kunnen optreden. In het maatschappelijke werk, de sociale dienst en in andere publieke instellingen moet een deel van de professionals in staat zijn om snel een gecombineerd casusteam te vormen voor een multidisciplinaire aanpak. Dit is te vergelijken met de mobiele eenheden van de politie: gewone agenten die zo nodig met onbekende collega's in crisissituaties kunnen optreden. Ook de gewone wijkagent moet bij crises hoog in het geweldsspectrum kunnen acteren – en onder een specifieke bevelvoering. Op dezelfde manier is het nodig dat zorg- en welzijnsinstellingen een deel van hun reguliere professionals trainen om snel met collega's uit andere organisaties te kunnen schakelen als er sprake is van complexe vragen. Het probleem is tot dusverre geweest dat er allerlei specifieke aanbieders of platforms zijn opgezet voor complexe multiproblematiek, die als crisisteams of gebiedsmanagers vervolgens ook weer langs elkaar heen werken of aanlopen tegen de protocollen en beperkingen van de reguliere organisaties. Het principe 'één-gezin-één-plan-één-hulpverlener' is als een soort specialisme bij het platform 'weggezet' terwijl die eenheid van handelen juist ook de medewerking vanuit de gebruikelijke disciplines behoeft. Als die zich er aan onttrekken werkt het principe niet. Daarom moeten ze er op worden aangesproken om ook een deel van hun capaciteit in de frontlinie in te zetten.

5.5 Verschillende behoeften, andere aanpakken

Sociale behoeften, individuele behoeften en multiproblematiek hebben elk hun eigen kenmerken, evenals de ondersteuning die daarbij past. De op de behoefte toegesneden doelen, interventies en capaciteit verschillen sterk (zie schema).

Deze verschillen in behoeften en het daarbij behorende aanbod vereisen een precieze benadering van de diverse groepen burgers met hun uiteenlopende vragen en problemen. Het kan verkeerd uitpakken als een type ondersteuning wordt aangeboden dat niet op de behoefte past. De klassieke en inmiddels veel bekritiseerde misgreep is als een complexe situatie (multiprobleem-eenoudergezin met pubers die op straat overlast geven; thuis dementerende oudere met overbelaste mantelzorg) benaderd wordt als een individueel probleem van de burger (niet assertieve puber; huissituatie van oudere met dementie). De (multi)problemen woekeren dan door. Maar evengoed kan een omgekeerde fout optreden: individuele vragen die als multiproblematiek benaderd worden. Als een meisje van acht op school te druk is en de vader heeft schuldproblemen, is er dan sprake van twee problemen of van een multiprobleemhuishouden? Mogelijk is het eerste het geval en dan heeft het weinig zin om er vaak op terug te komen in een multidisciplinair overleg. Weer een andere 'mismatch' treedt op als informele ondersteuning en sociale contacten worden ingezet als oplossing voor 'diepe' individuele beperkingen en aandoeningen. Ouderdom en dementie zijn tot dusverre onbehandelbaar en meer menselijk contact en bezigheden kunnen de situatie verzachten en misschien het proces van achteruitgang vertragen, maar niet stoppen. De vanuit de AWBZ naar de Wmo verplaatste begeleiding betreft vaak burgers met een chronische aandoening of beperking waarbij zorg en behandeling dominant zijn, althans een tijdlang. Begeleiding kan hun beperking meestal niet opheffen, hooguit verzachten. Beleidsambities mogen die feitelijke omstandigheden niet negeren, anders worden het beleidsidolen (zie schema).

Beleidsidolen

De inzet op transitie en transformatie van het sociaal domein heeft veel energie en beleidsambities los gemaakt, bij de overheid maar ook bij de aanbieders van zorg en welzijn. Als die ambities de overhand krijgen en te weinig worden ingekleurd met feiten en ervaringen worden het beleidsidolen. De ambities worden dan geprojecteerd op de behoeften van burgers zodat deze eenzijdig geïnterpreteerd worden. Hierdoor raken essentiële verschillen uit het zicht en wordt een specifieke ondersteuningsvorm of methode verabsoluteerd. Hieronder volgen enkele voorbeelden.

Burgerkracht
Een term die de opvatting uitdrukt dat een aanzienlijk deel van de huidige professioneel aangeboden ondersteuning kan worden overgenomen door informele netwerken tussen burgers. Hiervan zijn zeker voorbeelden te noemen en in het welzijnswerk wordt vaak ook geconstateerd dat de vraagverlegenheid bij burgers groter is dan de aanbodverlegenheid. Maar het blijft de vraag in welke mate informele ondersteuning echt preventief of vervangend kan zijn voor formele hulp en zorg. Beter is het daarom te spreken van feitelijke behoeften en praktische oplossingen, zoals de aanwezige mantelzorg en burenhulp, de inzetbare vrijwilligers en eventuele (maar vaak onvoorspelbare) burgerinitiatieven zoals zorgcoöperaties. Burgerkracht in zijn beperkingen dus.

'Eén-gezin-één-plan-één-hulpverlener' (of integraal casemanagement)
Afkomstig uit de ingewikkelde wereld van de jeugdzorg drukt dit begrip de wens uit om complexe problemen en multiproblematiek krachtig aan te pakken in onderlinge samenhang. Deze benadering is adequaat bij multiproblematiek maar toegepast bij individuele aandoeningen en beperkingen leidt dit principe tot overkill. Het dient selectief te worden ingezet, alleen voor de 'zware gevallen'. Anders slaat de werkwijze al gauw om in overprotocollering. Als de methode gericht is op complexiteit en risicobeheersing wordt er veel tijd besteed aan informatieverzameling en

communicatie tussen professionals, en is ze in verhouding arbeidsintensief en duur. In de nu opkomende benaderingen wordt meer verantwoordelijkheid gelegd bij reguliere professionals om via een quick scan problemen snel in de breedte te verkennen en alleen bij gebleken noodzaak op te schalen naar een brede aanpak.

'Doelgroepen'

In de afgelopen decennia zijn burgers door de verbeterde diagnoses en gespecialiseerde interventies steeds meer in de rol gekomen van 'doelgroep' van gespecialiseerde aanbieders. Het doelgroep-denken betekende vaak dat de grote groep burgers werd opgeknipt in deelgroepen die vooral benaderd worden vanwege hun vragen en problemen, niet vanwege hun kracht en mogelijkheden. In de gemeentelijke wereld heeft dit geleid tot een negatieve lading van de op zichzelf neutrale term 'doelgroep' omdat dit een versmalde benadering van burgers inhoudt, als afnemers van én als legitimatie voor het bestaan van specialistische aanbieders. Burgers moeten voortaan worden benaderd als één groep, als mensen die elkaar kunnen aanvullen en steunen. Met het afzweren van het doelgroep-begrip ontstaat echter het risico dat mensen te weinig worden benaderd op grond van hun specifieke situatie of problematiek. Sommige zorginstellingen hebben effectieve combinaties ontwikkeld van gespecialiseerde interventies, passend bij de specifieke situatie, aandoening of beperking van de burger, en het inschakelen van ondersteuners die meer zijn gericht op terugkeer in het gewone leven en vrijwilligers. Juist de combinatie van een specialistische en een generalistische aanpak kan heel effectief zijn. Dat kan alleen door doelgroepen te onderscheiden, maar dan wel naar hun integrale ondersteuningsbehoefte.

Het onderscheiden van diverse categorieën behoeften moet er niet toe leiden dat burgers verder alleen nog maar in deze vakjes worden geduwd. Vaak hebben mensen zowel sociale als individuele ondersteuningsbehoeften en is het gewenst ze met een passende mix van stimulering en hulp te voorzien. Zoals hierboven geschetst is het doel van de transformatie juist om behoeften als één geheel te zien en vervolgens na te gaan of 'nabije' en lichte hulpvormen soelaas kunnen bieden, of zelfs vervangend kunnen zijn voor de zwaardere hulp. Dit geldt voor op het niveau van de individuele casus, maar ook voor de werking van het hele stelsel. De routing en het meebewegen met de casus moeten zijn ingebakken in het systeem. Maar om die routing te kunnen uitvoeren is wel een basisindeling nodig zoals hiervoor gemaakt met het onderscheid tussen sociale en individuele behoeften, en complexe multiproblematiek. Met dit onderscheid kan ook de benodigde capaciteit van ondersteuning en hulp in kaart worden gebracht. Vanuit het transformatiedoel is een verschuiving van zwaar naar licht voorzien. Die moet worden geconcretiseerd in vereiste vaardigheden en uren. Hoeveel behoefte is er aan actieve burger-vrijwilligers, aan sociale netwerkontwikkelaars, brede casemanagers en flexibel inzetbare professionals, naast de grote groep reguliere hulpverleners die zeker nodig zal blijven? Welke organisaties moeten dit gaan leveren? En hoe zorgen die er voor dat die capaciteit ook wordt 'gemixt' en blijft meebewegen met de burger, waar nodig? Een dergelijke behoefteanalyse, sterktebepaling en flexibiliteit zijn het fundament bij de inrichting van het nieuwe sociaal domein. Deze stappen moeten in de eerste plaats lokaal worden gezet en vormen daarmee de kern van de lokale ondersteuningsagenda, het onderwerp van het volgende hoofdstuk.

6 De lokale ondersteuningsagenda

De drie decentralisaties in het sociaal domein hebben een massieve omvang. De overgang van de jeugdzorg, de begeleiding en de participatie van mensen met afstand tot de arbeidsmarkt betreft honderdduizenden burgers. Het financiële volume is ondanks de budgetkortingen ook indrukwekkend. Gemeenten zien hun begrotingen met tientallen procenten uitdijen. In één stap wordt de gemeente een centrale speler in het sociaal domein, naast de zorgverzekeraars. Met welke doelen moet deze rol worden ingevuld? En welke invloed kan een gemeente uitoefenen op zo'n complex veld? Deze vragen worden beantwoord in de lokale ondersteuningsagenda, de beschrijving van de voornemens en het actieplan waarvoor de middelen worden ingezet. Hieronder wordt deze lokale ondersteuningsagenda stap voor stap beschreven.

De gemeentelijke ondersteuningsagenda bestaat uit de volgende onderdelen:
a) Sociale wijkscan
b) Ambities en prioriteiten voor de ondersteuningsbehoefte
c) Functionaliteiten van het ondersteuningsaanbod
d) Lokale ondersteuningsstructuur.

6.1 Sociale wijkscan

Een ondersteuningsagenda moet allereerst gebaseerd zijn op de feitelijke situatie van vraag en aanbod in een gebied. Doorgaans gebeurt dit met

een sociale wijks- of dorpsscan (verder aangeduid als sociale wijkscan).
Dit is een inventarisatie die het volgende omvat:

» Inventarisatie van de *vraag*: compleet beeld van het huidige gebruik van hulp en zorg en van de ondersteuningsbehoeften, met zowel de objectieve aspecten (bijvoorbeeld hulp bij een lichamelijke beperking) als de subjectieve kanten (zoals behoefte aan leun- en steuncontacten)
» Inventarisatie van het *aanbod*: overzicht van activiteiten, voorzieningen en beschikbare hulpvormen (zorg en welzijn; sociale kaart; gespecialiseerde hulp en zorg), inclusief nieuwe ondersteuningsvormen en (lokale) initiatieven
» *Confrontatie van vraag en aanbod* in een overzichtsschema, nodig om overlappingen en lacunes te bepalen, zowel tussen doelgroepen als tussen vergelijkbaar aanbod
» *Kwantificering* van behoeften en het gewenste aanbod, zowel naar aantallen burgers met behoeften als de capaciteit van het aanbod om deze aantallen te kunnen bedienen.

Inventarisatie van de vraag
De vraaginventarisatie beschrijft de sociale kenmerken en behoeften van de bevolking in de gemeente, meestal uitgesplitst naar wijken en dorpen. Het gaat zowel om demografische en epidemiologische gegevens (van bijvoorbeeld CBS en GGD) als om gegevens uit leefbaarheidsenquêtes en veiligheidsmonitoren. Veel gemeenten vatten die gegevens samen in een sociale index of een wijkprofiel, die een omvattend beeld geeft van de gezondheid, het welbevinden, de zelfredzaamheid en participatie van de bewoners. Belangrijk hier is ook het signaleren van trends. Is er sprake van krimp of vergrijzing? Neemt het aantal multiprobleemgezinnen toe? Verbetert het niveau van de scholen? Wat is de waardering van bewoners van de leefbaarheid, veiligheid en voorzieningen in de wijk of het dorp? Er zijn diverse voorbeelden van dergelijke wijk- en dorpsscans. Vanuit het oogpunt van transformatie is het ook nodig om de informele ondersteuningsbehoefte in beeld te brengen, zoals de behoefte aan burenhulp

of juist aan bezigheden in een bredere omgeving. Hoe zit het met de sociale contacten en het eenzaamheidsgevoel ten opzichte van enkele jaren geleden? Hierbij kan het helpen om wijken of dorpen te typeren naar hun demografische of culturele kenmerken. In de Capita selecta is daartoe een typologie van wijken en dorpen opgenomen.

Maar willen de burgers ook iets met die behoeften *doen*? Daartoe moet ook de vraag- en aanbodverlegenheid en -geneigdheid van burgers gepeild worden. Dit laatste is gedeeltelijk nog onontgonnen terrein. Zelfs gezinnen die naar buiten toe goed lijken te functioneren hebben soms opvoedingsproblemen die de ouders niet zo gauw met buitenstaanders bespreken. Zouden ze die af en toe met andere ouders willen delen? Nemen ze die ook met de school door? Iets dergelijks geldt voor de groep gepensioneerde ouderen waarbij vaak eenzaamheidsgevoelens voorkomen, ook bij de economisch beter gesitueerden. Voor de lokale ondersteuningsagenda is het gewenst om de individuele ondersteuningsbehoefte breed te peilen zonder te diep te gaan wroeten in het persoonlijke levens van burgers. Net zoals bij het organiseren van burgerkracht is de beste oplossing om de vraag naar deze behoeften zo feitelijk en praktisch mogelijk te formuleren. Het antwoord op de vraag 'Voelt u zich wel eens eenzaam?' is voldoende veelzeggend.

Inventarisatie van het aanbod

De sociale wijkscan is uit te breiden met gegevens over het aanbod van ondersteuning, hulp en zorg, vaak aangeduid als de sociale kaart. Het gaat daarbij om de huidige lokale voorzieningen voor zorg en welzijn (huisartsen, wijkverpleging, thuishulp, welzijnsaanbod), de informele activiteiten in de buurt (sport, gezelligheid) en het lokale en regionale aanbod van meer gespecialiseerde ondersteuning (zoals zorgboerderijen voor mensen met een verstandelijke beperking). Dat laatste heeft doorgaans een breder werkgebied dan de wijk of het dorp, maar biedt extra mogelijkheden om lokaal faciliteiten te combineren. Veel buurthuizen, sportaccommodaties en dagcentra hebben maar beperkte openingstijden en hebben de potentie om door bredere groepen benut te worden.

De inventarisatie van het aanbod kan er ook op gericht zijn 'witte vlekken' in het bestaande spectrum van voorzieningen zichtbaar te maken. Een enigszins degelijk uitgevoerde aanbodinventarisatie brengt vaak een verrassend breed spectrum van allerlei aanbieders en activiteiten aan het licht, veel méér dan oorspronkelijk werd verwacht. Toch kan daarbinnen aanbod ontbreken, zoals activiteiten voor jongeren in de tienerleeftijd of dagbesteding voor ouderen. Deze witte vlekken kunnen zichtbaar worden wanneer de vraaginventarisatie daar rekening mee heeft gehouden dit als vraag 'mee te nemen' bij het enquêteren van burgers.

Confrontatie tussen vraag en aanbod
Wijk- en dorpsscans kunnen uitdijen tot tientallen pagina's dikke rapporten. Er wordt in ons land veel geregistreerd, onderzoekers en rapportschrijvers willen compleet en zorgvuldig zijn, dus een datadiarree is een reëel gevaar. Hoe al die informatie in te dikken tot een dataset die zich leent voor het formuleren van beleidsdoelen? Er zijn op de markt meerdere aanbieders voor het maken van wijkscans voor zorg en welzijn en even zovele formats. Voor de sociale wijk- en dorpsscan is het nodig dat vraag en aanbod in een overzicht bij elkaar komen. Dit overzicht moet een beeld geven over het hele sociaal domein om het mogelijk te maken dat er dwarsverbanden worden gelegd. Vanuit de transformatie bezien kunnen immers bevolkingsgroepen en ondersteuningsvormen worden gecombineerd, zowel om diverse burgers aan elkaar te verbinden als om een compleet en ook efficiënt pakket van aanbod te krijgen.

Uitgaande van de drie ondersteuningsbehoeften zoals beschreven in het vorige hoofdstuk is een overzichtsschema te maken dat aan deze eisen voldoet. Daarbij is het functioneel om burgers te onderscheiden naar brede leeftijdsgroepen (zie schema).

De indeling naar brede leeftijdsgroepen in dit overzicht is gekozen omdat die verschillende levensfasen uitdrukt, met eigen problemen en oplossingen. Tegelijkertijd biedt het schema vanwege zijn compactheid de mogelijkheid om na te gaan waar dwarsverbanden kunnen liggen en in hoeverre deze vanuit het oogpunt van transformatie te creëren zijn. Ook laat het overzicht zien om welke omvang het gaat bij de verschillende groepen en behoeften door het toevoegen van kwantitatieve gegevens.

Ondersteuningsbehoeften bij verschillende leeftijdsgroepen

	sociale behoeften	individuele behoeften	complexe multiproblematiek
gezinnen/jeugdigen (opgroeiperiode)	ondersteuning en sociale inbedding van het gezin	hulp en behandeling van ouders en kinderen afzonderlijk	ondersteuning van gezinnen bij multiproblematiek
volwassenen (werkzame periode)	participatie, betaald werk, dagbesteding	hulp en begeleiding bij aandoening of beperking	steun bij (tijdelijk) regieverlies op eigen leven
ouderen (pensioenperiode)	doorbreken sociaal isolement, steun aan mantelzorgers	zorg en begeleiding bij aandoening of beperking	steun bij groeiend regieverlies op eigen leven

Kwantificering

Het overzicht van vraag en aanbod moet ook in volumes worden uitgedrukt om de ondersteuningsagenda te kunnen vertalen in gewenste activiteiten, capaciteit en budget. Kwantificering gebeurt door sociale kenmerken uit te drukken in aantallen burgers naar leeftijd en ziektebeelden, naar leeftijdsgroepen en naar gerapporteerde problemen en behoeften. Maar ook de capaciteit om deze burgers te bedienen bij het aanbod wordt gekwantificeerd, in groepsgroottes, caseloads en begeleidings- en behandelingsplekken (voor de groep met de zwaarste behoeften). Het voert hier te ver om dit in voorbeelden en vormen uit te werken. In de Capita selecta aan het einde van dit boek is hiervoor een schema opgesteld.

6.2 Ambities en prioriteiten

In de sociale wijkscan worden de feiten van vraag en aanbod naast elkaar gezet. Die analyse is nodig om te bepalen welke inzet en financiën nodig zijn. Maar feiten zijn niet voldoende om over deze inzet te beslissen. Het is ook nodig om keuzes te maken en prioriteiten te bepalen. Hoe verdelen we de middelen over de diverse bevolkingscategorieën? Geven we voorrang aan preventie en sociale participatie of willen we de risico's voor de meer kwetsbaren zo veel mogelijk beperken? De feiten uit de scan moeten dus worden geïnterpreteerd vanuit een beleidsvoorkeur om tot prioriteiten te komen.

Om welke beleidsvoorkeuren gaat het? Dit is natuurlijk voorwerp van maatschappelijke visie en politieke opvattingen, te bespreken en bepalen per gemeente. Maar het perspectief van de transformatie kan helpen om de beleidsvoorkeuren vorm te geven.

In essentie gaat het om twee belangrijke keuzerichtingen:
» Wat is de algemene transformatierichting?
» Hoe kunnen burgers transformatie inhoud geven?

Wat is de algemene transformatierichting?
Transformatie is in het begin omschreven als het ontwikkelen van nieuwe werkwijzen door welzijn, hulp en zorg dichter bij burgers te organiseren en deze hierin ook een meer actieve rol te laten vervullen. Dit moet ook leiden tot een ingrijpende kostenbesparing. Dit algemene uitgangspunt moet per regio, gemeente en wijk concreet worden gemaakt. In essentie vraagt dit om een verschuiving van zwaardere naar lichtere hulp en ondersteuning. De sociale wijk/dorpsscan kan daarvoor worden gebruikt door het feiten-materiaal te interpreteren. Want dit geeft karakteristieken en trends aan.

Waar gaat het dan om? Hieronder volgen onderwerpen waarbij de sociale scan aanwijzingen kan opleveren voor de inzet in het sociaal domein:

» De relatieve omvang van *leeftijdsgroepen* (gezinnen/jeugdigen, volwassenen, ouderen) is medebepalend voor verdeling van de middelen. Daarbij is een redelijke aanname dat uitgaven voor zorg voor jeugd op termijn van invloed zullen zijn op het aantal vragen en problemen op latere leeftijd. Het gaat om effecten op de lange termijn in het proces van het opgroeien van jonge mensen. Meer op korte termijn is het de vraag hoe de begeleiding van jongeren meer vloeiend kan overgaan in die voor volwassenen, want daar zit nu vaak een breuk vanwege het verschil in regelgeving, aanbod en aanbieders.

» Binnen de leeftijdsgroepen zijn er *deelpopulaties* (bijvoorbeeld gezinnen met opvoedvragen, jeugdigen met persoonsgebonden problemen, volwassenen met een niet aangeboren hersenletsel, ouderen met dementie) waarbij per deelpopulatie steeds de vraag speelt in hoeverre hier preventie en verschuiving naar lichtere hulp en ondersteuning mogelijk is. Vaak gaat het om het stimuleren van vaardigheden en gedragsbeïnvloeding in een vroegere fase met als doel om het latere beroep op hulp terug te dringen. Om dit te kunnen bepalen moet de problematiek van een populatie goed in beeld zijn. In de Capita selecta is een voorbeeld opgenomen van deelpopulaties die in aanmerking komen voor begeleiding vanuit de Wmo.

» Zijn er in het aanbod mogelijkheden voor *despecialisatie en ontdubbeling*? Vanwege de ontstaansgeschiedenis van de – onderling gescheiden – specialistische voorzieningen zitten er veel overlaps in het aanbod, variërend van hulpposten, dagbesteding tot vervoer, nachtdiensten en spoedopvang. Activiteiten en voorzieningen kunnen worden gecombineerd, tenminste tot een bepaalde grens. Kwetsbare ouderen, mensen met een licht verstandelijke beperking en mensen met psychische problemen kunnen gebruik maken van dezelfde activiteiten en voorzieningen, maar niet de hele tijd. Thee en lunch kunnen samen worden gedaan maar niet langer durende recreatieve activiteiten, zo was de ervaring in een Drentse instelling. Er liggen dus mogelijkheden, maar deze moeten per groep en per situatie worden uitgevonden.

In het algemeen is het de uitdaging een verschuiving te bereiken van zwaar naar licht in het spectrum van complexe multiproblematiek naar individuele en sociale behoeften. Dit is het doel maar ook de veronderstelling achter de transformatie. De praktijk laat tot dusverre zien dat het kan, maar niet altijd, en vaak met mate.

Kan complexe multiproblematiek worden teruggedrongen? Dit zou moeten gebeuren door een gerichte integrale aanpak, waarbij de betrokken personen verder worden geholpen met reguliere individuele ondersteuning. Multiproblematiek lijkt vaak hardnekkig en weinig beïnvloedbaar en kan hoogstens worden ingetoomd. Toch zijn er voorbeelden waarin met een uitgekiende mix van drang, dwang en hulp ook lastige gevallen werden gestabiliseerd doordat hulpverleners voortdurend individuele aandacht gaven en alert waren op mogelijke escalatie. In Maastricht lukte het om de eerst ongecontroleerde macht van een criminele *extended family* terug te dringen door eerst een sleutelpersoon het huis uit te zetten en vervolgens intensieve hulp te bieden aan andere leden. Op landelijk niveau heeft een gerichte aanpak van overlastgevende jeugdgroepen door politie, justitie en hulpverleners het aantal daarvan over een periode van enkele jaren teruggedrongen. Complexe multiproblematiek is taai maar niet altijd onoplosbaar.

Kunnen individuele problemen worden verlicht en gede-escaleerd door meer sociale ondersteuning en participatie? Vermindert hierdoor het beroep op intensieve hulp en steun? Hiervoor bestaan meer aanwijzingen, zij het niet voor alle groepen. Huisartsen melden vaak dat hun spreekuur voor een flink deel gevuld wordt met problemen waarvoor participatie een oplossing zou kunnen zijn. Bij ouderen is er de mogelijkheid dat meer sociale context preventief kan werken en dus vervangend kan zijn voor individuele hulp en ondersteuning. Dat geldt weer minder voor mensen met psychische of psychiatrische problemen, zeker als die chronisch zijn. Deze aandoeningen zitten dieper in de persoon zelf en zijn daarom minder beïnvloedbaar door een verbetering van de sociale context. Toch is er in de psychiatrie toenemende aandacht voor de zogenaamde herstelbenadering, waarbij ook voor mensen met een ernstige psychiatrische aandoening (EPA) wordt gestreefd naar een normalisatie van hun leven, ook dankzij meer sociale contacten. De mogelijkheid van substitutie van zwaardere hulp en ondersteuning door lichtere vormen zijn dus wisselend per deelpopulatie. In de komende jaren blijft het een opgave om per deelpopulatie na te gaan wat de mogelijkheden zijn en dit stap voor stap met de aanbieders van hulp en zorg uit te proberen en toe te passen.

Hoe kunnen burgers transformatie inhoud geven?

De voorgaande beschrijving gaat over het herinrichten van het aanbod en niet zozeer over het vervullen van de behoeften aan hulp en ondersteuning. Vaak wordt verondersteld dat een ander of nieuwer aanbod tot gevolg heeft dat de behoeften als vanzelf 'meebewegen' met die verandering. Maar is dat vanzelfsprekend? Werkt preventie altijd? Burgers zijn nu vaak gewend aan het beschikbaar zijn van hulp en zorg, en claimen hun rechten. Vereenzaamde ouderen die gewend zijn om vaker naar de huisarts te gaan, ook voor hun sociale contact, kunnen moeite hebben met een verwijzing naar de gezellige koffie-ochtend in het plaatselijke woonzorgcentrum. Hoe krijg je burgers betrokken bij transformatie en wanneer willen ze deze zelf inhoud geven?

In essentie is het antwoord: door ze in eigen omgeving te benaderen, hun eigen wijk of dorp. Als transformatie praktisch wordt gemaakt zullen veel burgers er weinig bezwaar tegen hebben. In beginsel is er sprake van een 'altruïstisch overschot'[12] bij burgers. Ze willen graag anderen helpen, als het maar gaat om een behoefte van een herkenbare ander in een omgeving van persoonlijke relaties[13]. En dat is – meestal – de wijk of het dorp en daarbinnen buurten, verenigingen en andere actieve groepen. Het is daarom van cruciaal belang dat de lokale ondersteuningsagenda ook wordt gebaseerd op de eigen kenmerken van buurten, wijken en dor-

---

12   Het altruïstisch overschot, geven en helpen maken gelukkiger dan geld, Evelien Tonkens in *de Volkskrant* 2 juni 2010.

13   Vraagverlegenheid en het altruïsme-overschot, Jos van der Lans in *Tijdschrift voor Sociale vraagstukken*, april 2010.

pen. De verschillen tussen gemeenten en tussen de wijken en dorpen in een gemeente zijn soms uitgesproken, zeker in de beleving van bewoners. De uitdaging is om verbindingen te leggen tussen het georganiseerde, publiek bekostigde aanbod van hulp en ondersteuning en het 'eigene' waarmee bewoners anderen in hun omgeving helpen en ondersteunen.

Hoe kan zo'n verbinding tot stand komen? Allereerst gaat het er om de verschillende wijken en dorpen binnen een gemeente duidelijk aan te wijzen en hun lokale identiteit te benoemen, vanuit het oogpunt van het sociaal domein. Wat is hun sociale *couleur locale*? Wat karakteriseert de sociale kant van een dorp of een wijk? Het gaat er om de historisch gegeven kenmerken om te zetten naar een beeld van de ondersteunings-behoeften zoals omschreven in het begin van dit hoofdstuk (zie de eerder genoemde typologie van veel voorkomende wijken en dorpen in de Capita selecta). De algemene transformatierichting moet hier worden omgezet in micro-analyses en micro-acties, die aansluiten bij wat burgers zelf al doen. Dat kan gaan om een groepje buurtbewoners die elke zondag samen gaan fietsen en wellicht bereid zijn om af en toe een kwetsbare buurtgenoot mee te laten doen. Maar in andere situaties is er sprake van een buurt- of dorpsvereniging die bereid is om met de gemeente mee te denken over de aanpassing van woningen zodat de ouderen in hun omgeving langer zelfstandig kunnen blijven wonen.

Integratie van kwetsbare mensen in Midden-Drenthe

In de gemeente Midden-Drenthe is sprake van vergrijzing maar niet van krimp. De bevolking woont verspreid over bijna dertig woonkernen. Al jaren lang steunt de gemeente via het welzijnswerk de verenigingen Plaatse-lijk Belang in de verschillende dorpen. Deze bewonersverenigingen richten zich op de leefbaarheid van hun dorp door allerlei projecten en activiteiten te organiseren, met name voor ouderen. Doordat dit al lang gebeurt is het beroep op formele ondersteuning en zorg relatief laag gebleven. De gemeente wordt nu verantwoordelijk voor de begeleiding van kwetsbare mensen vanuit de Wmo, zoals ouderen met een handicap of mensen met een verstandelijke beperking. De begeleiding van deze specifieke groepen wordt nu gekoppeld aan de bestaande algemene activiteiten voor ouderen in de dorpen. In de grote kernen worden plannen voor woonservicezones omgezet naar een formule voor woonservice*netwerken*, waarbij minder accent wordt gelegd op accommodaties en meer op een mix van dag-activiteiten en persoonlijke begeleiding, ook door medebewoners. Actieve burgers praten mee bij deze ontwikkeling. Zo wordt geprobeerd om de brede integratie-aanpak voor ouderen ook te gebruiken voor kwetsbare mensen met meer specifieke problemen.

Micro-analyses en micro-acties zijn niet vrijblijvend. Het houdt ook in dat een deel van de personele capaciteit en financiële middelen beschikbaar wordt gemaakt voor een directe ondersteuning van burgers *via hun eigen initiatief*. Dit vraagt om lokale vrijwilligers en professionals die in een eigen samenspel ondersteuning organiseren, aangesloten op de formele hulp en zorg zoals het maatschappelijk werk, het CJG en de huisarts. Het gaat niet om van hogerhand ingestelde teams maar om lokale netwerken van individuen die zich verantwoordelijk voelen. Die netwerken kunnen half informeel en half formeel zijn, zoals het geval is bij basisscholen die afhankelijk zijn van oppas- en voorleesouders, of bij centra voor dagbesteding voor ouderen en licht verstandelijk beperkten die voor een groot deel worden gerund door vrijwilligers. De kunst is om hier de inzet van professionals te richten op netwerkontwikkeling en juist niet op individuele ondersteuning. Hiervoor bestaan inmiddels aanduidingen en profielen, zoals *best persons*, dorpsondersteuners, 'spillen' en opbouwwerkers-nieuwe-stijl. De ervaring heeft geleerd dat de invulling van deze functie sterk afhankelijk is van de kenmerken van de plaatselijke samenleving. In een Drents dorp kan worden voortgebouwd op half-publieke netwerken van bewoners terwijl in een anonieme stadswijk de informele relaties meer versnipperd en verscholen zijn.

6.3 Functionaliteiten van het ondersteuningsaanbod

Als er feitenmateriaal ligt uit de sociale wijkscan en daarbij ambities en prioriteiten zijn geformuleerd moeten die praktisch worden vertaald. Welke activiteiten en voorzieningen zijn dan nodig en welke inzet van professionals? Met welke kwaliteit en kwantiteit? Dit kan gebeuren door het omschrijven van *functionaliteiten* van het ondersteuningsaanbod. Een functionaliteit is een activiteit die een gewenst effect oplevert voor de omgeving, die dus een prestatie levert voor een gesteld doel. Die prestatie wordt concreet omschreven, in termen van behoeften en aantallen, zodat daarmee de activiteit kan worden gespecificeerd. Zo doen huisartsen consulten, keuringen en verwijzingen (activiteiten) als remedie voor vragen, klachten en aandoeningen van hun patiënten (prestatie). Door functionaliteiten te omschrijven wordt duidelijk gemaakt welke problemen en behoeften door welk aanbod moeten worden opgelost.

Functionaliteiten in het nieuwe sociaal domein zullen verschillen van de huidige, maar er is al veel bekend en beschikbaar. Daarom is het mogelijk om op hoofdlijnen de belangrijkste hiervan aan te duiden. Uitgaande van de drie eerdere getypeerde ondersteuningsbehoeften zijn de volgende functionaliteiten te onderscheiden:

ondersteuningsbehoeften	functionaliteiten
sociale behoeften	versterking van informele sociale netwerken
	vergroting van maatschappelijke participatie
	achterstandsbestrijding gezinnen/jeugdigen
individuele behoeften	preventie en vergroting van zelfredzaamheid door:
	» lichte ondersteuning
	» intensieve hulp en zorg
	hulp bij blijvende beperkingen
complexe multiproblematiek	hulp bij regieverlies en crisis

Hieronder worden de functionaliteiten kort getypeerd[14].

Versterking van informele sociale netwerken
(Licht) kwetsbare burgers zijn gebaat bij sterke sociale netwerken in hun omgeving. Het dagelijkse contact met andere burgers geeft een gevoel van geborgenheid, meedoen en zingeving. Sociale netwerken worden versterkt door het stimuleren van eigen activiteiten en door de inzet van minder kwetsbare burgers. Door de eigen contacten tussen mensen zijn ze beter in staat om samen dagelijkse problemen op te vangen zonder professionele ondersteuning. Professionals richten zich vooral op het ontwikkelen van sociale activiteiten en initiatieven door burgers zelf, óók doordat burgers de activeringsaanpak van professionals overnemen. Daarmee krijgt de inzet van professionals een multiplier-effect: elk 'professioneel uur' resulteert in vele extra 'burger-uren' met vergelijkbare resultaten. Voorbeeldactiviteiten zijn open koffie-ochtenden in een woonzorgcentrum, maatjesprojecten voor mensen met een beperking en vrijwilligerstrainingen.

Vergroting van maatschappelijke participatie
Inactiviteit en sociaal isolement kunnen ook worden verminderd door mee te doen aan georganiseerde activiteiten of (vrijwilligers)werk. Door hieraan mee te doen leveren kwetsbare burgers ook een bijdrage aan de toegankelijkheid van hun wijk of dorp, zoals licht verstandelijk beperkte mensen die boodschappen doen voor ouderen. Voorbeeldactiviteiten zijn een buurtklussendienst of activiteiten van een bewonersvereniging.

Achterstandsbestrijding gezinnen/jeugdigen
(Potentiële) achterstanden van gezinnen en kinderen moeten op tijd worden gesignaleerd en zo mogelijk voorkomen of teruggedrongen. Veel gemeenten zijn hiermee al bezig via het maatschappelijk werk in

---

14   In het onderdeel Capita selecta worden de functionaliteiten uitgebreider beschreven met voorbeeldactiviteiten.

achterstandswijken of via de lokale educatieve agenda met de scholen. Achterstandsbestrijding is nu extra aan de orde vanwege de overkomst van jeugdhulp naar gemeenten en de ambitie om deze te laten aansluiten op het passend onderwijs. Die aansluiting is nodig waar sprake is van een combinatie van leerproblemen, achterblijvende ontwikkeling en een zwakke sociaaleconomische positie van gezinnen en jeugdigen. Voorbeeldactiviteiten zijn voor- en vroegschoolse educatie en ambulante jeugdhulp in achterstandsscholen.

Preventie en vergroting van zelfredzaamheid
Sociale problemen, ziektes en beperkingen kunnen een aanslag doen op het vermogen van mensen om hun eigen leven op orde te houden. Dit kan een verstoring zijn van het gewone leven van burgers en het natuurlijke gevoel van zelfbeschikking dat daarbij hoort. Dit wordt aangepakt door preventie en steun bij het behoud of herstel van zelfredzaamheid. Hierbij onderscheiden we generieke en specifieke problemen.

» Algemeen voorkomende vragen en problemen behoeven lichte ondersteuning. Burgers met deze generieke vragen en problemen houden hierdoor greep op het eigen leven. Die ondersteuning sluit aan op de reguliere voorzieningen zoals de huisarts en de school. De uitvoering vindt zo veel mogelijk lokaal plaats. Voorbeelden zijn de jeugdgezondheidszorg en leun- en steuncontacten van het maatschappelijk werk.

» Specifieke en complexe problemen behoeven Intensieve hulp en zorg. Burgers met deze zwaardere problemen worden gesteund met hulptrajecten gebaseerd op een professionele methodiek. In korte vorm wordt specialistische hulp ook ingezet om de complexiteit van het probleem te doorgronden en cliënten vroegtijdig te helpen hun probleem aan te pakken. Een voorbeeld van korte hulp is het vijf-gesprekken model in de psychiatrie waarmee de cliënt snel weer mentaal op de been wordt geholpen.

Hulp bij blijvende beperkingen

Sommige problemen zijn blijvend. Dat kunnen aangeboren beperkingen zijn (lichamelijk en cognitief) maar ook ziektes en kwalen die chronisch zijn geworden. Ook hier richten de hulp en ondersteuning zich op zelfredzaamheid, maar binnen de gegeven beperkingen. De zelfredzaamheid kan bij deze groep hoogstens licht verbeteren, stabiel blijven of in een verlangzaamd tempo achteruit gaan. Voorbeelden zijn (F)ACT-teams bij ernstige psychiatrische aandoeningen, beschermd wonen en casemanagement bij dementie.

Hulp bij regieverlies en crisis

Mensen kunnen te maken krijgen met problemen die hun leven grondig overhoop gooien waardoor ze (tijdelijk) niet meer in staat zijn dat voldoende zelf te organiseren. Dit is vaak het geval bij complexe multiproblematiek en bij *life events*, gebeurtenissen die het leven ontregelen zoals een overval, mishandeling of hersenletsel. Deze situatie vraagt om een regisserende ondersteuning die de organisatie van het dagelijks leven van een burger overneemt, geheel of gedeeltelijk, tijdelijk of voor langer. Voorbeelden zijn gezinsmanagers voor multiprobleemgezinnen en bemoeizorg voor dak- en thuislozen.

6.4 Toewerken naar een sleutelvoorziening

De hierboven geschetste functionaliteiten zijn te beschouwen als 'gereedschappen' die kunnen worden ingezet in het sociaal domein. Ze kunnen worden geconcretiseerd voor elk van de eerder genoemde leeftijdsgroepen om zo een overzicht te krijgen van het totaal van activiteiten en voorzieningen dat nodig is om in de behoeften te voorzien en welk aanbod is vereist bij elke functionaliteit. Hierdoor ontstaat een compleet beeld van het hele instrumentarium dat de inzet voor alle leeftijdsgroepen omvat (zie voorbeelden in schema).

Functionaliteiten en hun inzet voor leeftijdsgroepen (met voorbeeldactiviteiten)

functionaliteit		wordt ingezet voor		
		gezinnen/ jeugdigen	volwassenen	ouderen
versterking van informele sociale netwerken		maatjesproject	sociale steunsystemen	ouderenwerker welzijn
vergroting maatschappelijke participatie		voorleesouders op school	vrijwilligerswerk	dagbesteding
achterstandsbestrijding gezinnen/jeugdigen		peuterspeelzaal achterstandswijk	taalcursus	
preventie en vergroting zelf-redzaamheid door	lichte ondersteuning	cursus opvoedhulp	maatschappelijk werk	leun- en steuncontacten
	intensieve hulp en zorg	hulp bij (v) echtscheiding	woon-begeleiding	respijtzorg
hulp bij blijvende beperkingen		pleeggezin	FACT-team	casemanager dementie
hulp bij regieverlies en crisis		gezinsmanager	beschermd wonen	bemoeizorg

Een dergelijk overzicht helpt om alle vormen van ondersteuning en hulp in beeld te brengen en na te gaan of het aanbod de vraag dekt. Tegelijkertijd heeft deze schematische benadering ook een groot nadeel: er blijft niet veel over van de transformatiegedachte wanneer op elke vraag een specifieke ondersteuningsvorm wordt gelegd. Zoals geschetst in het vorige hoofdstuk zijn ondersteuningsbehoeften vaak 'gemixt' en moet het aanbod dus meebewegen. Functionaliteiten en ondersteuningsvormen zijn ook deeloplossingen. De in het schema opgenomen voorbeeldactiviteiten hebben elk een effect in de gewenste richting maar garanderen geen volledige vervulling van vragen en behoeften van burgers. De vraag is wanneer de inzet van ondersteuning in zijn diverse vormen voldoende *krachtig* is om burgers voldoende te steunen én om transformatie te bereiken. In de huidige praktijk komt het immers al vaak voor dat er allerlei vormen van ondersteuning bestaan maar dat deze los van elkaar functioneren en er over het geheel weinig effect is. Hoe kan de ondersteuning dan kracht ontwikkelen? In principe zijn er twee oplossingen nodig om het totale aanbod voldoende breed in te vullen:

» *Stevige bezetting*: door te zorgen dat er voor elke ondersteunings-behoefte die is geïnventariseerd de functionaliteit met voldoende capaciteit wordt ingevuld. Dit wordt bereikt door de functionaliteit te omschrijven als een opdracht aan aanbieders die hiervoor een groep van gekwalificeerde professionals inzetten.

» *Sleutelvoorziening*: Door een keuze te maken voor *één of enkele* ondersteuningsvormen waarin meerdere functionaliteiten worden gebundeld. Versnippering van energie wordt tegengegaan door de ondersteuning te concentreren in enkele hoofdvormen, waarin participatie en zelfredzaamheid samengaan in brede trajecten voor burgers.

Transformatie krijgt dus meer kans door een sleutelvoorziening die meerdere functionaliteiten omvat. Voor de groep gezinnen/jeugdigen gebeurt dit bijvoorbeeld via een brede school in een achterstandswijk, waarin ook een peuterspeelzaal is opgenomen, cursussen voor volwassenen worden gegeven en lichte jeugd- en opvoedhulp wordt aangeboden. Als het in die brede school ook mogelijk is dat ouders elkaar kunnen ontmoeten en daarvoor afspraken kunnen maken, bevat die school veel functionaliteiten die elkaar onderling zullen versterken. Door de diversiteit in het brede aanbod is ook meer maatwerk mogelijk. Vergelijkbaar hiermee kan een wijkondersteuner een verbinding maken tussen kwetsbare bewoners, vrijwilligers en sociale activiteiten. Zij of hij kan sociale netwerken ontwikkelen en ook als vraagverhelderaar en verwijzer optreden bij individuele vragen en problemen. En op eenzelfde manier kan een zorgcoöperatie van dorpsbewoners ondersteuning voor ouderen en kwetsbare mensen organiseren en tevens in het dorpshuis een trefpunt voor mantelzorgers en actieve buurtbewoners organiseren. De ouderenwerker in het dorp kan hier ook regelmatig haar gezicht laten zien. Ook kan de zorgcoöperatie werkafspraken maken met de huisarts en wijkverpleegkundige en eventueel bij het lokale verpleeghuis kamers reserveren voor respijtzorg. Op deze manier krijgt het totale aanbod veel meer interne samenhang en is het te verwachten dat het makkelijker is een verschuiving van zware naar lichte en zelfs informele ondersteuning te laten plaatsvinden (zie schema).

Functionaliteiten en hun inzet voor leeftijdsgroepen met sleutelvoorzieningen (met voorbeeld-activiteiten)

functionaliteit		wordt ingezet voor		
		gezinnen/ jeugdigen	volwassenen	ouderen
versterking van informele sociale netwerken		brede school met activiteiten van en voor ouders en kinderen	*wijkondersteuning* verbindt burgers, welzijn en zorg, en verwijst	*zorgcoöperatie* met informeel en formeel aanbod in het dorp
vergroting maatschappelijke participatie				
achterstandsbestrijding gezinnen/jeugdigen				
preventie en vergroting zelfredzaamheid door	lichte ondersteuning		maatschappelijk werk	
	intensieve hulp en zorg	hulp bij (v)echtscheiding	woonbegeleiding	
hulp bij blijvende beperkingen		pleeggezin	FACT-team	casemanager dementie
hulp bij regieverlies en crisis		gezinsmanager	beschermd wonen	bemoeizorg

Krachtige en brede ondersteuningsvormen bieden dus meerdere functionaliteiten en leggen daar ook verbindingen tussen. Een sleutelvoorziening vormt zo een oplossing voor de versnippering van energie over vele ondersteuningsvormen doordat ze ook een relatie onderhouden met aanpalend aanbod dat ze niet zelf in huis hebben. Daarmee wordt het totale aanbod meer overzichtelijk én flexibel, zowel voor burgers als professionals.

Krachtige ondersteuningsvormen vragen om geprofileerde keuzes. Er is een sleutelvoorziening die een trekkende en pregnante rol kan krijgen, als het maar in die centrale positie wordt geplaatst. Dit blijkt ook uit de inrichting van de lokale ondersteuningsstructuur.

6.5 Lokale ondersteuningsstructuur: nieuwe actoren

Als er een sociale wijkscan is gemaakt, ambities en prioriteiten zijn benoemd, de vereiste functionaliteiten in beeld zijn gebracht en het gewenste (sleutel)aanbod is benoemd, dan is de volgende stap in de lokale ondersteuningsagenda het verduidelijken via welke kanalen de hulp en ondersteuning zal worden geleverd. Na het 'wat' komt het 'hoe' en het 'wie'. Een krachtige lokale ondersteuning vraagt om een krachtige uitvoerder, om een *actor*. Deze handelende partij moet ook in staat zijn om te verbinden en zo de transformatie door te zetten. Wat zijn nu de vereiste actoren in de lokale ondersteuningsstructuur? Gezien vanuit de lokale ondersteuningsagenda zijn in ieder geval drie nieuwe actoren nodig:

Sociale netwerkontwikkelaar
Er is een aparte professionele functie nodig voor het stimuleren van sociale netwerken van en het samenwerken met burgers. Het kan gaan om opbouwwerk-nieuwe-stijl, dat *communities* ontwikkelt of om gekwalificeerde vrijwilligers die kwetsbare gezinnen ondersteunen (zoals de burger-contactpersonen in Zweden – zie hoofdstuk 3). Dorpsverenigingen of dorpsondersteuners zoals in sommige Drentse en Brabantse dorpen hebben ook die functie. Belangrijk is dat het hier gaat om een betrekkelijk nieuwe, aparte ondersteuningsvorm die nadrukkelijk niet bedoeld is om caseloads van individuele vragen en problemen weg te werken. Het gaat om het aanmoedigen van burgers en creëren van sociale netwerken, hetgeen pas op langere termijn vrucht afwerpt. Evaluaties van dergelijke aanpakken in Enschede en Rotterdam wezen uit dat het wel een paar jaar kan duren voordat tussen burgers de sociale contacten en wederzijdse hulp op gang komen. Vanwege die lange termijn is het ook nodig dat dit stimuleringswerk robuust wordt georganiseerd, zowel

in de vorm van specifieke getrainde burgers of professionals als op basis van een duurzaam budget (en dus niet in de vorm van tijdelijke projecten zoals nu vaak het geval is).

Lokale ondersteuningsorganisatie
Gewenst is een lokaal gerichte ondersteuningsorganisatie die intensieve hulp en ondersteuning kan inschakelen en cliënten kan volgen en eventueel weer teruggeleiden als ze intensieve hulp of ondersteuning hebben gehad. Deze lokale ondersteuningsorganisatie is de uitvoerder van de sleutelvoorziening, de dominante ondersteuningsvorm zoals hiervoor omschreven. Praktisch betekent dit niet alleen het inrichten van een sociaal wijkteam en een Centrum voor Jeugd en Gezin, maar ook het bundelen van bestaande uitvoeringscapaciteit in deze werkverbanden en zo nodig het ombouwen van samenwerkingsplatforms (Sociaal wijkteam, CJG) tot uitvoerende organisaties. In sommige gemeenten of regio's is dat al gebeurd, zoals bij de stichting CJG Rijnmond. Het CJG als samenwerkingsverband is doorgaans te zwak gebleken om zo'n krachtige speler te kunnen zijn in de hele jeugdketen, dus is nu een volgende stap nodig naar een stevige lokale actor die zowel welzijn, maatschappelijk werk als lichte hulpverlening omvat. Dit kan een CJG-organisatie zijn waarin deze werksoorten zijn ondergebracht, maar mogelijk ook een brede school of combinatie van welzijn en jeugdhulp. Dit is vooral afhankelijk van de voorkeuren van een gemeente en de kracht van en samenhang tussen de aanbiedende instellingen. Voor sociale wijkteams geldt een vergelijkbare keuze. Op termijn zullen deze de vorm aannemen van stevige, tamelijk autonoom opererende werkverbanden die ook de uitvoering van de lokale hulp en ondersteuning gaan doen (zie het betreffende onderdeel in de Capita selecta).

Specialistisch flexteam
Direct lokaal inzetbare specialistische hulpverleners bieden lichte en ook (soms) intensieve individuele hulpverlening en helpen zo burgers om zelfstandig hun problemen op te lossen. Het *matched care* principe laat

zien dat een korte inzet van intensieve hulp en behandeling preventief kan werken en juist lange intensieve trajecten kan voorkomen. De lichte hulpverlening moet daartoe gebiedsgericht zijn georganiseerd, want het is van belang dat de betreffende professionals voldoende voeling hebben met de lokale ondersteuning en de sociale kaart om hun cliënten makkelijk weer te kunnen overdragen naar de meer nabije ondersteuners. Het specialistisch flexteam ondersteunt ook generalistische professionals in de wijken (zoals in veel gemeenten het geval is) waardoor het op termijn mogelijk is dat deze hun hulp kunnen uitbreiden naar meer complexe vragen. Specialisten zijn er om hun kennis over te dragen en daarmee ook zelf verder te leren en hun specialisme te verdiepen.

In dit hoofdstuk is de lokale ondersteuningsagenda omschreven. De omschrijving reikt van sociale wijkscan, ambities en prioriteiten, functionaliteiten, sleutelvoorziening en actoren. Daarmee is een groot deel van het sociaal domein inhoudelijk in kaart gebracht en van plannen voorzien, maar niet alles. Vooral voor specifieke groepen en specialistische hulp en ondersteuning geldt een aparte benadering, want niet alles laat zich lokaal oplossen. Er is daarom ook een regionale ondersteuningsagenda nodig. Daarover meer in het volgende hoofdstuk.

7 De regionale ondersteuningsagenda

Hiervoor zijn ondersteuningsbehoeften omschreven die vervolgens als onderwerpen zijn 'geplaatst' op een lokale ondersteuningsagenda. Die laatste is ambitieus en breed, gegeven de decentralisaties en de transformatie-opgave. Toch laat zich niet alles lokaal agenderen en oplossen. Dit geldt voor verschillende onderwerpen:

» De burger kan een vraag of een probleem hebben waarbij lokale ondersteuning geen oplossing biedt. Dit is het geval als de lokale situatie voor de burger onveilig is (bijvoorbeeld bij uithuisplaatsing van kinderen of bij huiselijk geweld zonder terugvalmogelijkheid op naasten). Ook kan het zijn dat de burger om redenen van privacy liever de hulp van verder weg betrekt of dat er geen sociaal netwerk (meer) is dat lokaal steun kan geven. Dat is soms het geval bij mensen met ernstige psychiatrische aandoeningen. In landelijke gebieden wordt er dan een beroep gedaan op stedelijke voorzieningen.

» Ernstige problematiek vraagt om specialistische hulp en die is doorgaans georganiseerd op een hoger schaalniveau. Doorgezette specialisatie betekent kleine aantallen cliënten en dus grote werkgebieden. Dit is ten dele wel terug te draaien door veel gevraagde specialismen lokaal te groeperen, maar dan blijft er een behoefte om uitwisseling met en coaching door de senior-experts. Er zijn veel sociaalpsychiatrisch verpleegkundigen maar weinig psychiaters. Die moeten regionaal gedeeld worden. Hetzelfde geldt voor zorgboerderijen wanneer die zich hebben gespecialiseerd op de begeleiding van mensen met specifieke problemen zoals een verstandelijke beperking.

» Moderne zorgtechnologie maakt gebruik van gecentraliseerde voorzieningen. Dit is het geval bij domotica (alarmoproepsystemen, meldkamers), diagnose- en verwijslogistiek, E-Health, uitwisseling van patiëntgegevens en casusoverleg-ondersteunende systemen. Doorgaans zijn deze functies op een hoog schaalniveau georganiseerd. Ook al komen de inhoudelijke vragen van lokaal niveau, dan is er toch een regionale afspraak nodig over de verwerking daarvan.

Er blijft dus behoefte aan specifieke ondersteuning op bovenlokaal niveau, dus in regionaal verband en soms landelijk als het om hoogspecialistische voorzieningen gaat. De lokale en regionale ondersteuningsagenda's zijn echter niet gescheiden. Ze hangen nauw samen en veel onderwerpen staan op beide agenda's. Dit geldt met name voor het meeste complexe afstemmingsvraagstuk van de transformatie, die tussen generalisme en specialisme.

7.1 Generalistische en specialistische hulp en ondersteuning

In het vorige hoofdstuk is een overzicht gegeven van de ondersteuningsbehoeften in de lokale context en het generalistische aanbod dat daarvoor kan worden ingezet. Met de invalshoek van de transformatie wordt een 'ja, tenzij' principe gehanteerd: er wordt gebruik gemaakt van lokaal generalistisch aanbod tenzij dit niet gewenst of beschikbaar is, zoals hiervoor is aangegeven. Maar deze benadering doet geen recht aan de samenhang tussen generalistisch en specialistisch. Veel burgers hebben meervoudige problemen, waarvoor zowel een algemeen als specifiek aanbod behulpzaam kan zijn, tegelijkertijd of na elkaar. Dat geldt vooral voor de individuele ondersteuningsbehoeften, maar niet alleen. Zodra vragen en problemen ingewikkelder worden krijgen burgers te maken met een mix van lokale, generalistische ondersteuning en regionale, specialistische hulp en steun (zie figuur).

Ondersteuningsbehoeften, functionaliteiten en mix van generalisme en specialisme

ondersteuningsbehoefte	functionaliteit		mix van generalistische en specialistische hulp en steun
sociale ondersteuningsbehoeften	versterking van informele sociale netwerken		generalistische ondersteuning (lokale agenda)
	vergroting maatschappelijke participatie		
individuele ondersteuningsbehoeften	achterstandsbestrijding gezinnen/jeugdigen		
	preventie en vergroting zelfredzaamheid door	lichte ondersteuning	
		intensieve hulp en zorg	
complexe multiproblematiek	hulp bij blijvende beperkingen		specialistische hulp en steun (regionale agenda)
	hulp bij regieverlies en crisis		

De mix van generalisme en specialisme ligt verschillend per ondersteuningsbehoefte.

De *sociale ondersteuningsbehoeften* lijken op het eerste oog volledig 'bediend' te kunnen worden door de lokale brede ondersteuning. Versterking van informele sociale netwerken en vergroting van participatie vinden immers vooral in de nabije omgeving plaats. Toch is ook bij sociale behoeften soms sprake van een mix van generalisme en specialisme, vooral bij mensen met chronische problemen of beperkingen die toch zo veel mogelijk aan het gewone sociale verkeer willen deelnemen. Jongeren die na een uithuisplaatsing en verblijf elders toch weer in de buurt van hun gezin willen wonen en geholpen willen worden om hun sociale leven weer op de rails te krijgen. Chronisch psychiatrisch patiënten die dankzij het door de GGz-instelling georganiseerde sociale steunsysteem met hun medepatiënten wandelen, koken of toneelspelen, maar dat nu met 'gewone' mensen in hun buurt willen gaan doen. Specialistische participatie-activiteiten zouden naadloos moeten overgaan in reguliere buurtcontacten maar dat valt in de praktijk niet mee. De werkwijzen van de specialistische steunsystemen en het algemene welzijnswerk liggen nog ver uit elkaar.

De *individuele ondersteuningsbehoeften* worden vervuld door zowel een generalistisch als een specialistisch aanbod. Dit geldt vooral voor de lichte individuele ondersteuning, vaak bestaande uit een beperkt aantal gesprekken of groepsbijeenkomsten. Binnen het lokale brede aanbod wordt lichte ondersteuning vaak gecombineerd met andere hulpvormen, zoals die van de huisarts, het CJG of het sociaal wijkteam. Lichte ondersteuning is voor veel burgers voldoende, als het gaat om overzichtelijke vragen en problemen waarbij korte trajecten voldoende zijn voor een redelijk snel herstel van het gewone leven. Een cursus opvoedingsondersteuning volgen, schulden wegwerken of een vijftal gesprekken voeren met een psycholoog. Dat ligt anders voor mensen met zwaardere problemen voor wie de lichte ondersteuning ook nodig is, maar eerder als onderdeel van een intensiever en langer traject. Zeker als cliënten een periode achter de rug hebben van een meer ingrijpende hulpverlening (psychiatrische behandeling, revalidatie na een trauma) fungeert de lichte ondersteuning eerder als een afronding van een zware tijd. Zo'n begeleide terugkeer in het gewone leven behoeft deskundige inleving en steun. Lichte ondersteuning is hiervoor een passende vorm, maar die werkt in deze gevallen alleen met een dieper begrip van de individuele historie. De inzet van lichte ondersteuning is dus verschillend voor de lichte, lokaal 'bediende' vragen en de zware, specialistisch ondersteunde problematiek. Lokaal is het een 'opschakelaanbod', vanuit een langer intensief traject een 'afschakelaanbod'.

Bij *complexe multiproblematiek* spelen er problemen op meerdere levensterreinen. Dat houdt per definitie in dat het probleem zowel generalistisch als specialistisch wordt aangepakt. Alleen de zwaarste problematiek wordt volledig via het specialistische aanbod opgelost, zoals bij mensen die in de intramurale zorg of in een gesloten verblijf terecht komen. Zo lang dat laatste niet het geval is woont de betreffende burger of het gezin in een wijk of dorp en is overlastbestrijding, participatie, hulp of begeleiding een lokale taak. Aanvullend hierop wordt ondersteuning gegeven vanuit regionaal georganiseerde voorzieningen zoals jeugdbescherming, GGz, verslavingszorg of de reclassering. Het is te verwachten dat in de komende jaren de generalistische en specialistische hulp bij complexe multiproblematiek nauwer met elkaar vervlochten zullen raken omdat de lichtere vormen van hulp en begeleiding geleidelijk zullen overgaan van de gespecialiseerde instellingen naar lokale organisaties voor welzijn en begeleiding.

Bij elk van de drie ondersteuningsbehoeften is dus sprake van een lokaal algemeen aanbod van ondersteuning en van regionaal georganiseerde specialistische hulp en zorg. Nu is de opgave om deze twee beter op elkaar af te stemmen. De eigen vraag of het probleem van de burger moet daarbij leidend zijn. Een integrale benadering is daarvoor nodig. Daarvoor moeten die behoeften *in hun breedte* in beeld zijn. Hoe maak je ze zo breed zichtbaar?

7.2 Behoeftebeelden van deelpopulaties

Behoeften van burgers zijn in beeld te brengen naar hun levensfase maar ook naar de aard en zwaarte van de problematiek. Die aspecten zijn te beschrijven in behoeftebeelden voor brede deelpopulaties die zowel gebruik maken van algemene ondersteuning als van specialistische hulp en steun. Die behoeftebeelden moeten de specifieke problemen van de betreffende groep burgers laten zien maar ze ook niet 'opsluiten' in een te nauwe definitie van hun behoefte of aandoening. In hoofdstuk 5 is al geconstateerd dat specialistische behoefteomschrijvingen de huidige verkokering van het hulpaanbod handhaven maar dat algemene aanduidingen idealistisch en vaag blijven. Daarom worden hieronder de behoeftebeelden gedefinieerd in brede deelpopulaties, omschreven naar hun voornaamste problematiek. Die omschrijving is echter zo ruim dat daarbinnen een verschuiving van intensieve naar lichte vormen van hulp goed mogelijk blijft (zie schema).

hoofdgroep	brede deelpopulatie (voornaamste problematiek)
gezinnen en jeugdigen	gebrekkig functioneren van ouders óf jeugdigen
	ernstige problemen bij ouders en soms ook jeugdigen
volwassenen	psychische of psychiatrische aandoeningen
	(licht) verstandelijke beperking
	niet aangeboren hersenletsel
	lichamelijke of zintuiglijke beperkingen
ouderen	ouderdomsaandoening (lichamelijk en/of cognitief)

Bij gezinnen en jeugdigen gaat het vooral om degenen die een beroep doen op intensieve jeugd- en opvoedhulp. Deze groep is te onderscheiden naar twee brede deelpopulaties[15]:

» Er is sprake van gebrekkig functioneren van óf de jeugdigen óf de ouders en hierdoor zijn er ook problemen in het gezin. Doordat het probleem in beide gevallen maar aan één van beide kanten zit (ouders óf kinderen) is er dus ook altijd een 'sterke' factor in het gezin aanwezig die tegenwicht biedt tegen de gebreken aan de andere kant. Hierdoor is (intensieve) ambulante hulp in de thuis-situatie meestal voldoende.

» Er is sprake van ernstige problemen bij de ouders en soms ook de jeugdigen. De basale opvoedingsvaardigheden schieten te kort. De 'sterke' factor is hier afwezig of te zwak om als tegenwicht te kunnen

---

15 Gebaseerd op: Nederlands Jeugd Instituut (2012), De ontwikkeling van cliëntprofielen voor de Utrechtse jeugdzorg, p. 84-85.

werken voor de problematische kant. Daarom is hier altijd intensieve hulp nodig (ambulant en eventueel ook met een verblijf in de hulpinstelling) en soms een uithuisplaatsing als zwaarste maatregel.

Bij beide groepen wordt ingezet op een mix van gezinsondersteuning én persoonlijke hulpverleningstrajecten. In het eerste geval kan intensieve ambulante hulp de situatie op een gegeven moment stabiliseren en is er sprake van (herstel van) zelfredzaamheid. Hier is goed voorstelbaar dat er gespecialiseerde jeugdhulpverleners worden ingezet maar dat die nauw samenwerken met lokale hulpverleners zoals maatschappelijk werkers en intern begeleiders van de school. In het tweede geval wordt door het verblijf in een instelling en een eventuele uithuisplaatsing ook de regie op de jeugdigen overgenomen, geheel of gedeeltelijk, voor korte of lange duur. De gespecialiseerde hulp is dan (tijdelijk) dominant en de lokale ondersteuning voor de jongere komt pas weer in beeld als er sprake is van terugkeer. De verhouding tussen de regionale – gespecialiseerde – aanpak en de lokale – meer generalistische – ondersteuning is dus anders per deelpopulatie. Voor beide deelpopulaties is het een opgave voor de gespecialiseerde hulpverleners om de hulp aan het gezin en de ouder of jeugdige als een samenhangend én 'meebewegend' pakket in een flexibele hulproute te organiseren. Dat betekent ook dat de basisdisciplines van de jeugdhulp (jeugd- en opvoedhulp, jeugd-GGz, jeugd-LVB en Veiligheid) samenwerken om het hele traject soepel te laten verlopen.

Een indeling naar deelpopulaties is ook mogelijk bij de maatschappelijke ondersteuning van volwassenen en ouderen. Vanuit de huidige situatie zijn er binnen deze grote groep in ieder geval de volgende brede deelpopulaties te onderscheiden:

» Mensen met psychische of psychiatrische aandoeningen of beperkingen. Voorbeelden zijn stemmings-, angst-, middelen-, gedrags- en psychotische stoornissen. Ze hebben behoefte aan bescherming en een structurering of regulering van hun omgeving. Kenmerkend voor deze groep is dat er vaak een grote variatie in intensiteit van de hulpvraag is, zodat flexibele hulproutes van groot belang zijn. Tegenwoordig wordt er zo veel mogelijk ingezet op herstel en normalisatie van het gewone leven.

» Mensen met een (licht) verstandelijke beperking. Ze zijn minder zelfredzaam door hun beperking in het intellectueel functioneren. De problematiek kan enkelvoudig zijn maar ook gepaard gaan met (over)gevoeligheid of onhandig gedrag en gebrekkige sociale vaardigheden. Omdat de beperking niet overgaat is hier meestal behoefte aan blijvende ondersteuning, die na verloop van tijd wel in intensiteit kan verminderen als de zelfredzaamheid toeneemt en er een passende omgeving is gecreëerd.

» Mensen met een niet aangeboren hersenletsel (NAH). Hier is sprake van een (vaak tijdelijke) beperking in het functioneren door cognitieve en (vaak ook) emotionele problemen door een hersenletsel na een ziekte of een ongeval. Ondersteuning en hulp is nodig na behandeling en al tijdens de revalidatie zodat een terugkeer in het gewone leven zo snel en makkelijk mogelijk verloopt.

» Mensen met lichamelijke of zintuiglijke beperkingen. Dit is een heel gevarieerde deelpopulatie waarvan de ondersteuningsbehoefte niet zo duidelijk in een kenmerkend patroon is te beschrijven als bij de voorgaande deelpopulaties.

» Mensen met een ouderdomsaandoening, met lichamelijke of geestelijke beperkingen als gevolg van het ouder worden. Binnen deze deelpopulaties is er nog onderscheid te maken tussen lichamelijk (somatische) beperkingen en cognitieve (psychogeriatrische) beperkingen. Vanwege het ouder worden nemen de beperkingen doorgaans toe en is er een afnemende kwaliteit van leven. Maar er kan wel worden ingezet op een *vertraging* van deze teruggang en het zo lang mogelijk op peil houden van zelfredzaamheid en participatie.

Deze indeling van deelpopulaties bestrijkt het merendeel van de ondersteuningsbehoeften van volwassen burgers. Net zoals bij de jeugdpopulaties zijn deze brede populaties goed te 'bedienen' met een divers aanbod van functionaliteiten (zie vorige hoofdstuk) en flexibele hulp- en ondersteuningsroutes. Op de regionale ondersteuningsagenda staat dan de opgave om per deelpopulatie te zorgen voor een compleet en op elkaar aansluitend pakket van diensten en voorzieningen (van instellingen voor ouderenzorg, begeleiding van GGz-cliënten et cetera). De afstemming op de lokale ondersteuning komt vooral neer op het samenspel bij het aanbieden van gespecialiseerde en algemene ondersteuning en zo nodig het soepel wederzijds overdragen van cliënten. Hier zit een belangrijk risico en een forse veranderingsopgave. Algemene lokale ondersteuning en specialistische regionaal georganiseerde hulp en steun kunnen makkelijk uit elkaar sporen en tegenover elkaar komen te staan. In de transformatie moeten deze twee polen nu bijeen komen.

7.3 Samenbrengen vanuit specialisme of vanuit generalisme?

Hoe breng je generalistische ondersteuning en specialistische hulp en zorg samen in één aanbod voor de burger? In beginsel zijn er twee benaderingen:

» Uitgaan van de behoeften van de deelpopulaties
» Uitgaan van de behoeften in de lokale samenhang.

Uitgaan van de behoeften van deelpopulaties
De eerste benadering gaat vooral uit van continuïteit. Daarbij vindt wel transformatie plaats, maar beheerst. De bestaande doelgroepen van de specialistische hulp en zorg worden als uitgangspunt genomen voor een nieuwe, generalistische benadering van hun vragen en problemen. De traditionele ondersteuning in de vorm van vast omschreven hulpvormen en voorzieningen wordt vervangen door bredere trajecten waarin participatie, zelfredzaamheid en zwaardere zorgvormen zijn opgenomen. Per deelpopulatie worden brede integrale trajecten mogelijk gemaakt zodat mensen met meer specifieke en vaak zwaardere problemen kunnen

rekenen op persoonlijke hulproutes (zie hoofdstuk 5) voor een 'meebewegende' zorg en begeleiding. Binnen deze brede trajecten is het makkelijk om de hulp en steun op- en af te schalen, zodat op elk moment de cliënt een passende hulpvorm krijgt aangeboden. Maatwerk optima forma. Dit is goed mogelijk voor de hiervoor beschreven deelpopulaties omdat binnen die groep de problemen en behoeften op elkaar lijken, daarmee veel ervaring is en het daardoor makkelijk is passende hulproutes te creëren.

Dat samenspel en soepel overdragen van cliënten is geen nieuw vraagstuk. Gespecialiseerde organisaties voor de ondersteuning van een specifieke doelgroep streven vaak al langer naar onderling samenspel en soepele overdracht. Grote multidisciplinaire aanbieders zetten in op interne ketensamenwerking. In de afgelopen jaren is interdisciplinair casemanagement tussen instellingen gangbaar geworden. Dit is het geval zowel voor gezinnen en jeugdigen als voor volwassenen en ouderen. Gezinscoaches en -managers zijn verantwoordelijk voor de complete hulp en ondersteuning van multiprobleemgezinnen en regelen ook aanvullende steun zoals taalcursussen en schuldhulpverlening. Bemoeizorgwerkers voor dak- en thuislozen doen hetzelfde voor die groep, totdat de cliënt goed is overgedragen aan een gespecialiseerde instelling zoals de GGz. Voor ouderen met dementie zijn brede casemanagers dementiezorg actief die zich richten op het steeds aanpassen van de hulp en zorg aan de voortschrijdende ziekte. Daarbij geven ze ook steun aan de mantelzorgers uit de familie en vrijwilligers. Interdisciplinair casemanagement zorgt dus voor samenspel en overdracht, ook naar de lokale hulpverleners en de informele zorg van burgers. Het concept is ontwikkeld door en tussen specialistische aanbieders maar verschijnt nu ook op de lokale brede ondersteuningsagenda. Het is een uiterst geschikt middel om meer vanuit de lokale behoeften te gaan sturen.

Uitgaan van de behoeften in lokale samenhang
Samenspel en overdracht van cliënten tussen generalistische en specialistische hulp en zorg moeten soepel plaatsvinden. Dat kan door inter-

disciplinair casemanagement maar ook door lokaal casemanagement: burgers in hun eigen omgeving kennen, hun behoeften in beeld hebben en van daaruit de nodige hulp en ondersteuning aanbieden, eventueel in een 'meebewegende' hulproute. Door gemeenten is veel aandacht besteed aan het ontwerpen en voorbereiden van deze werkwijze in een model van keukentafelgesprekken, quick scans, vraagverheldering, integrale trajecten en het volgen van casuïstiek door generalistische casemanagers. De benadering lijkt op die van interdisciplinair case-management (dat geworteld is in de meer specialistische hulp en zorg) maar legt veel meer nadruk op een inbedding in het lokale ondersteu-ningsaanbod en de informele zorg van burgers. De veronderstelling en het doel van deze benadering is om:

» verergering van problemen te voorkomen door er vroeg bij te zijn (preventie),
» bij opgetreden ernstige problemen en na intensieve hulp en zorg sneller weer kwaliteit van leven te bereiken (herstel en normalisatie)
» in het algemeen de zelfredzaamheid en participatie beter te borgen.

Dit is de crux van de transformatie. Maar nu gaat het om mensen met specifieke problemen en aandoeningen. Kunnen lokale hulpnetwerken en breed casemanagement deze ook goed bedienen? In de eerste discus-sies bij gemeenten over het lokale model van integrale ondersteuning, preventie en casemanagement werd er van uitgegaan dat het mogelijk moest zijn om vrijwel alle problemen en casuïstiek op deze manier te benaderen. De lokale, integrale benadering stond centraal en de specia-listische hulp en zorg vormde daarin slechts een onderdeel. In sommige betogen werd zelfs de bijdrage vanuit de specialistische aanbieders bijna weggedefinieerd of teruggebracht tot het inbrengen van specifieke kennis om de generalistische casemanagers in staat te stellen om de complexe problemen aan te kunnen. Inmiddels hebben gemeenten meer besef dat er toch belangrijke groepen burgers zijn waar individuele problemen, aandoeningen of beperkingen zo specifiek en dominant zijn dat het casemanagement moet plaatsvinden vanuit een professioneel inzicht in dat probleem. Dit geldt zeker in gevallen waarin de hulpverlening ook de regie op het leven overneemt, geheel of gedeeltelijk. Het ingrijpen bij een uithuisplaatsing van een jongere of bij een gedesoriënteerde en verwarde oudere met dementie vraagt om kennis van de aandoening en vooral van het hulpverleningsproces waarmee die kan worden aangevat. De conclusie is dat meerdere vormen van casemanagement onvermijdelijk zijn, afhankelijk van de ernst van de problematiek.

Toch liggen er mogelijkheden om mensen met specifieke aandoeningen of beperkingen substantieel te ondersteunen met generalistisch casemanagement in de lokale omgeving. Preventie, herstel en normalisatie zijn bij uitstek taken die lokaal moeten worden vervuld. De blik vanuit de lokale ondersteuning moet dan niet zozeer worden gericht op de specialistische hulp als 'concurrent' bij het oppakken van specifieke problematiek, maar juist op die lokale omgeving zelf. De uitdaging hier is om sluitende netwerken van hulp en ondersteuning te bouwen tussen burgers en lokale hulpverleners, vooral degenen met een vertrouwensrol zoals huisartsen, wijkverpleegkundigen, maatschappelijk werkers en interne begeleiders op scholen. Huisartsen kunnen bijvoorbeeld rekenen op een specifieke bekostiging voor kwetsbare ouderen. Dat kan aanleiding zijn om een specifiek lokaal netwerk voor de ondersteuning van ouderen op te zetten met zowel medische als sociale verwijsmogelijkheden. Het (lokale) casemanagement kan bij een huisarts liggen maar even goed bij de thuiszorg of het maatschappelijk werk. Als het lukt om dit soort samenwerkingsverbanden te laten functioneren is daarmee de lokale ondersteuning een krachtige tegenspeler van de specialistische hulp en zorg geworden. Generalisme kan pas leidend worden ten opzichte van het specialisme als de lokale samenhang robuust is.

Op langere termijn is dus het perspectief dat de specialistische hulp en zorg meer vervlochten raakt in lokale ondersteuningsnetwerken. Daarbij zullen begeleiding en hulp geleidelijk overgaan naar het lokale veld, ook al blijft er sprake van specialistische hulp en behandeling. Deze verschuiving vindt niet vanzelf plaats. Het vraagt om een gestuurde actie, waarbij lokaal generalisme en regionaal specialisme methodisch op elkaar worden afgestemd. Dit leidt tot een paradox: om de lokale ondersteuning goed gebruik te laten maken van de aansluiting op en kennis van specialistische aanbieders zullen ze algemeen geldende methodieken moeten toepassen. Lokale kracht vraagt om een benutting van en dus een aanpassing aan regionale methodiek, misschien wel aan landelijke systemen. Dit gegeven vormt dan ook een essentieel onderdeel van de regionale ondersteuningsagenda. Naast het inschakelen van specialistische hulpverleners moeten ook hun methoden worden gedeeld. De regionale agenda is vooral een *gedeelde* agenda.

7.4 Integratie, despecialisatie en verbindende methodiek

Het combineren van generalisme en specialisme vraagt om een samenhang in het totale aanbod van ondersteuning, hulp en zorg. In hoofdstuk 4 werd dit benoemd als één van de drie grote transformatie-opgaven. Daar werd al geconstateerd dat de diverse 'werelden' van burgers, welzijn, hulp en zorg nog ver uit elkaar staan. Dat geldt in het algemeen tussen generalisme en specialisme en ook tussen de diverse disciplines onderling. Het tot stand brengen van deze samenhang over het geheel is waarschijnlijk de lastigste en daardoor ook meest langdurige opgave van de transformatie. Professionele werkwijze, beroepsculturen en de identificatie van hulpverleners daarmee zijn krachtige kwaliteiten die zich niet zo maar ondergeschikt laten maken aan een samenwerkingsideaal. Om toch tot meer samenhang te komen is een combinatie van 'harde' en 'zachte' maatregelen gewenst. Het gaat om:

» Integreren van activiteiten die ongeveer dezelfde beogen, dus met een vergelijkbare functionaliteit

» Creëren van een verbindende methodiek en daarmee een gedeelde 'gereedschapskist' en competenties voor ondersteuners en hulpverleners.

Integreren van activiteiten

In het hele sociaal domein zijn er in de afgelopen decennia tientallen soorten organisaties op het terrein van welzijn, hulp en zorg ontstaan, die vaak vergelijkbare activiteiten hebben ontwikkeld. Dat heeft geleid tot een parallel aanbod. Bij de specialistische activiteiten gaat het bijvoorbeeld om 24 uur bereikbare crisisdiensten in de jeugdhulp, zowel aangeboden door instellingen voor jeugd- en opvoedhulp als door GGz-instellingen. In de langdurige zorg worden in hetzelfde gebied nachtdiensten georganiseerd, apart voor ouderen en voor mensen met een verstandelijke beperking. Als het gaat om stevig ingrijpen bij overlast van mensen die ook hulpverlening ontwijken zijn vaak meerdere platforms actief, zoals het Veiligheidshuis, een bemoeizorgteam, een OGGz-overleg, het AMHK, Jeugdbescherming en woonbegeleiders van de maatschappelijke opvang. In veel regio's wordt gewerkt aan het integreren van deze platforms. Maar ook bij de generalistische ondersteuning is er vaak sprake van parallel georganiseerd aanbod, zoals bij de steun aan mantelzorgers, het werven van vrijwilligers, het organiseren van maatjesprojecten of het opzetten van sociale activiteiten in de wijk. Ook welzijnsorganisaties werken regelmatig los van elkaar, van de laagdrempelige hulpverlening zoals het maatschappelijk werk en van actieve burgers. Er valt veel te winnen in samenhang door activiteiten te integreren, bijvoorbeeld in de vorm van een sleutelvoorziening zoals hiervoor genoemd.

De integratie tussen generalistische activiteiten is doorgaans een lokale opgave, maar de integratie tussen specialistisch aanbod is al gauw een bovenlokale aangelegenheid. Crisisdiensten, nachthulp en overlastaanpak zijn specifieke activiteiten, doorgaans georganiseerd op het regioniveau, bij een grote instelling of een centrumgemeente. Dit is een onderwerp op de regionale ondersteuningsagenda. Hetzelfde geldt voor de afstemming tussen generalistische en specialistische hulp en zorg. Vooral als het gaat om integreren en daarmee preciezer dan voorheen afspreken wie wat doet (en dus ook wat men aan elkaar overlaat) zijn er sluitende afspraken nodig over de inzet van capaciteit. Gevoelig hierbij is het (beoogde) effect dat er vaak een *despecialisatie* van de voorziening optreedt, geheel of gedeeltelijk. Als een sociaal steunsysteem voor (ex) psychiatrische patiënten door de GGz-instelling wordt overgedragen aan een welzijnsorganisatie zal het gevolg zijn dat de begeleiding beter aansluit op het gewone leven maar ook minder diagnostische precisie heeft als voorheen. Dat is op te vangen door de welzijnswerker direct toegang te geven tot GGz-kennis, bijvoorbeeld door een voorafgaande briefing en een snel belcontact met een psycholoog. Die afspraak luistert nauw, want het gedrag van de (ex)patiënt kan snel en onvoorspelbaar veranderen. De professionals moeten op elkaar kunnen rekenen en hun organisaties moeten dat ook steunen. Despecialisatie van voorzieningen betekent daarom vaak een intensivering van de afstemming generalisme-specialisme. De regionale ondersteuningsagenda met daarop het specialistische aanbod ligt dicht tegen de lokale, generalistische agenda aan.

Verbindende methodiek en competenties
Meer samenhang in het totale aanbod van ondersteuning, hulp en zorg stelt ook eisen aan de uitvoering. Samenhang vereist samenwerking op de werkvloer bij de afstemming tussen professionals en overdracht van casuïstiek. Vragen, problemen en oplossingen moeten in een handzame taal kunnen worden uitgewisseld. In de afgelopen decennia van opbloeiende specialismen is de beweging juist andersom geweest, naar een steeds verdergaande verbijzondering van een diagnoses en methoden. Zo werd in 2011 een analyse gemaakt van het aanbod van jeugdzorg in Midden-Brabant met als uitkomst dat er ruim 360 verschillende interventies werden aangeboden. Natuurlijk leken veel interventies op elkaar in benadering en nagestreefd effect, maar toch ging het steeds om andere aanduidingen en indelingen. Dat maakt het lastig om problematiek te delen tussen professionals. Vanwege deze proliferatie van methoden zijn er tussen de hulpdisciplines over verschillende betekenissen ontstaan voor dezelfde woorden. Het begrip 'veiligheid' heeft een andere lading in de gehandicaptenzorg (fysieke veiligheid), de

ouderenzorg (overzichtelijke en vertrouwde omgeving) en de jeugdhulp (onbedreigde ontwikkeling van jeugdigen). Deze specifieke invulling van een term is functioneel binnen de discipline, maar lastig in het onderlinge verkeer. Daarom zijn er initiatieven om te komen tot een algemeen geldende eenvoudige diagnostiek en vraagverheldering als basis voor de samenwerking in het hele sociaal domein. Een universele methode zal nog wel op zich laten wachten, maar in ons land zijn er aanzetten tot breed bruikbare quick scans en trajectomschrijvingen. Ook het buitenland biedt inspirerende voorbeelden, zoals het CAF in Engeland (zie kader).

Common Assessment Framework (CAF) in Engeland[16]

In Engeland is vanaf 2004 gewerkt aan een ingrijpende reorganisatie van de jeugdhulp, te vergelijken met de decentralisaties in Nederland. Een belangrijk onderdeel daarvan is het Common Assessment Framework, dat in een universele opzet de hulpvraag van het kind en het gezin moet verhelderen en tot een passende aanpak moet leiden. Vanaf 2008 zijn alle gemeenten verplicht het CAF te hanteren. Het CAF bevat een schema, waarin vijftien basisbehoeften van een gezin worden onderscheiden en drie niveaus van urgentie. Daarmee geeft het een directe aanwijzing voor het meest geschikte type hulp of ondersteuning. Onderdeel van de methodiek is een uitgesproken rol voor de ouders en een duidelijke invulling van eisen aan privacy. Het instrument wordt gebruikt door de professionals in alle voorzieningen in de jeugdsector, ook in de basisvoorzieningen. Een eerste signalering gebeurt bijvoorbeeld door politiemedewerkers, crècheleidsters of onderwijzers. Alle professionals zijn getraind in het gebruik van het CAF. Door de verplichte samenwerking tussen aanbieders is het ook eenvoudiger om een contactpersoon voor het hulpvragende kind en het gezin te benoemen, de *lead professional*, vergelijkbaar met een gezinscoach.

---

16 Every child matters, Engelse inspiratie voor Nederlands jeugdbeleid, C. Vink (2007)

Een gezamenlijke methode vraagt ook om gedeelde taal en competenties. Ook hier tekent zich een beweging af naar despecialisatie, althans waar het gaat om het delen en overdragen van casuïstiek. Op zichzelf is het gewenst de versnippering van het aanbod over honderden verschillende typen interventies terug te dringen, maar nieuwe methoden zullen blijven ontstaan, tussen en binnen disciplines. Specialismen zijn niet voor niets ontstaan en hebben meerwaarde. Ze zullen zich alleen moeten voegen in een algemeen kader. Dat bestaat uit gedeelde methodiek (zoals het CAF) maar ook uit de vaardigheid om meervoudig problemen te observeren over de verschillende leefgebieden, om gevoelig te zijn voor signalen die wijzen op specifieke knelpunten (bijvoorbeeld verstandelijke beperking) en om daarover te communiceren met specialisten. Die taal en die vaardigheden moeten professionals over een breed front verbinden. Burgers moeten daarop kunnen rekenen en een beroep moeten kunnen doen op specialistisch aanbod op een hoog schaalniveau. Dat behoeft een grootschalige aanpak, ten minste op het niveau van de regio en wellicht nog daarboven (het Engelse CAF werd op nationaal niveau opgelegd aan de gemeenten). Die aanpak zal zich richten op methodiek, maar ook op beroepsprofielen van professionals en professionalisering in de vorm van personeelsontwikkeling en opleidingen. Deze methodische en professionele kant is ook een aparte dimensie in de veranderingsstrategie (zie hoofdstuk 9). Hier is de belangrijkste conclusie dat gezamenlijke methodiek en competenties blijvende onderwerpen zullen zijn op de regionale ondersteuningsagenda.

7.5 Verstrengeling van agenda's

Hierboven is beschreven hoe lokale en regionale uitvoeringsagenda's verschillende onderwerpen bevatten maar tegelijkertijd elkaar aanvullen. Dit zullen ze ook blijven doen. De lokale generalistische ondersteuning en de regionale specialistische hulp en steun hebben elkaar nodig. De ervaring met de decentralisatie van de jeugdzorg in Denemarken heeft uitgewezen dat de verhouding lokaal-generalistisch en regionaal-specialistisch een chronisch knelpunt kan worden, waarbij zich steeds weer problemen voordoen[17]. Dit komt in de eerste plaats voort uit het simpele feit dat het gaat om aanbod op verschillende schaalniveaus, waartussen zich bijna per definitie afstemmingsproblemen voordoen. Maar in onze Nederlandse situatie komt daar in de komende jaren nog bij dat de verhouding generalisme-specialisme onder druk staat van de transformatie: het generalistische domein zal gaan groeien ten koste van het specialistische domein en tegelijkertijd zal de afhankelijkheid tussen de twee domeinen sterk toenemen zoals boven geschetst. De lokale en regionale ondersteuningsagenda's zijn aan elkaar verbonden en raken in de tijd alleen maar meer met elkaar verstrengeld. De uitdaging is om de analytische kracht en de precisie van de specialistische hulp en zorg te combineren met de holistische kijkbreedte en integrale oplossingen van de generalistische benadering. Een ontkenning van die samenhang kan destructief uitpakken (zie kader).

Beleidsidolen

'Specialistische kokers terugdringen'

Bij de decentralisatie van de jeugdzorg in Denemarken hebben veel gemeenten geprobeerd de (dure) specialistische zorg zo veel mogelijk te vervangen door (goedkope) lichte hulp. Dit gebeurde soms zo vergaand dat er geen specialistisch aanbod meer was in gevallen waar dat wel nodig was. Jongeren kwamen in een te lichte hulpverleningsvorm terecht en bleven daar soms lang in hangen terwijl hun problematiek verergerde (Woestenburg, 2014). Deze ervaring is vergelijkbaar met die van de (ge-decentraliseerde) hulp in de huishouding in Nederland, waarbij sommige gemeenten vooral inkochten op een lage prijs met als gevolg dat de kwaliteitsaanbieders uit de markt verdwenen. Specialistisch aanbod

---

17   De nieuwe jeugdzorgwet wordt precies verkeerd ingevoerd, T. Woestenburg, 2014.

kan door een verkeerde aanpak zodanig krimpen dat op een gegeven moment wachtlijsten ontstaan en degenen die het echt nodig hebben niet of te laat worden geholpen. Dit risico tekent zich af bij gemeenten die vooral mikken op het terugdringen van de 'specialistische kokers', de negatieve aanduiding van aanbieders met specifieke kennis en capaciteit. Specialisme kan leiden tot professionele blikvernauwing en monopolistisch gedrag van instellingen, maar dat mag geen reden zijn om het specialisme als zodanig te bestrijden.

Een verstrengeling van agenda's is een inhoudelijk vraagstuk. Uiteindelijk komt die verstrengeling voort uit het gegeven dat kwetsbare burgers vaak meervoudige, 'gemixte' behoeften hebben (zie hoofdstuk 5) en een beroep moeten kunnen doen op diverse hulpvormen, van licht naar intensief. Maar de verstrengeling is ook een opgave voor sturing en verandering. Hoe zorgen we dat de agenda's goed in elkaar blijven passen terwijl hun verhouding ingrijpend verandert? Er ligt en ontstaat veel conflictstof en het is de kunst om in het proces van transformatie de spanningen hanteerbaar te houden. Dit is ook het onderwerp van de laatste hoofdstukken, waarin inhoudelijke agenda's worden omgezet in acties voor sturing en verandering.

8 Gemeentelijke netwerksturing

In de vorige hoofdstukken zijn ondersteuningsbehoeften omschreven en agenda's geschetst vanuit een inhoudelijke benadering, het 'wat' van de transformatie. Wat hebben burgers nodig en welk aanbod past daar dan bij? In de laatste hoofdstukken gaat het over het 'hoe': via welke ingrepen en maatregelen komt deze inhoud tot stand? Hierbij zijn de gemeenten centrale spelers, maar niet als enige. Ook de burgers en aanbieders hebben een belangrijke rol, naast het zorgkantoor en de zorgverzekeraars. Tegelijk moeten de gemeenten een gezamenlijke, regionale kracht ontwikkelen. De afzonderlijke gemeente is een centrale speler maar is ook afhankelijk van de andere partijen. Gemeenten hebben een wettelijke taak en een bestuurlijke eindverantwoordelijkheid én behoeven de inzet van anderen in een ingewikkeld speelveld. Het gaat om een netwerkspel en dat vraagt veel sturingskunst. Daarom gaat dit betoog verder vanuit de positie van de gemeente.

Hoe stuurt een gemeente? Deze vraag kent geen simpel antwoord. De traditionele sturing bestaat uit beleidsnota's, reacties van maatschappelijke partners, bestuurlijke besluiten, een invoeringsplan, een budget en het contracteren van uitvoerders. Kortom: de bekende beleids- en budgetcyclus. De logica van deze sturing is vooral *inside-out*: het beleid vindt zijn oorsprong in ambtelijke verkenning en bestuurlijke afweging en wordt vervolgens afgesproken tussen B&W en de gemeenteraad en naar het veld gebracht. Netwerksturing vindt veel meer *outside-in* plaats: in en met het veld komen tot een gedragen koers, in uitwisseling met B&W en gemeenteraad komen tot besluiten en deze uitwerken en contracteren. Heel veel beïnvloeding gebeurt via het communiceren over een inhoudelijke visie en langs informele lijnen. In het netwerk wisselen sturing vanuit het beleid en beïnvloeding van en tussen de partners elkaar af. Deze extern gerichte netwerksturing stelt nieuwe en andere eisen dan de traditionele gemeentelijke sturing.

Voor de netwerksturing worden de volgende instrumenten ingezet:
a) Dialoog over lokale en regionale ondersteuningsagenda
b) Stimuleren van vraag en aanbod
c) Formuleren van ondersteuningsopdracht en prestatiecriteria
d) Selecteren en contracteren van aanbieders.

Hieronder worden deze instrumenten beschreven. Aan het einde van het hoofdstuk komt aan de orde wat de gemeente dan in huis moet hebben om deze instrumenten te kunnen hanteren. Hier is ook de regionale gemeentelijke samenwerking van belang.

8.1 Dialoog over lokale en regionale ondersteuningsagenda

Een gemeente beïnvloedt het netwerk van burgers en aanbieders in de eerste plaats via een inhoudelijke visie. Met 'inhoudelijk' wordt hier bedoeld: vraag en aanbod. Afgebakende en gekwantificeerde analyses hiervan zijn een voorwaarde voor de andere vormen van sturing. Dit is in de vorige hoofdstukken aan bod gekomen.

In hoofdstuk 6 is de inhoud van de lokale ondersteuningsagenda beschreven:
» Sociale wijkscan
» Ambities en prioriteiten voor de ondersteuningsbehoefte
» Functionaliteiten van het ondersteuningsaanbod
» Lokale ondersteuningsstructuur.

In hoofdstuk 7 zijn de onderwerpen voor de regionale ondersteunings-agenda benoemd:

» Analyse van deelpopulaties met behoefte aan specialistische hulp en steun
» Samenbrengen van het generalistische en het specialistische aanbod
» Integreren van specialistische activiteiten met een vergelijkbare functionaliteit
» Creëren van een verbindende methodiek en gedeelde competenties.

Het zou voor de hand liggen om de lokale ondersteuningsagenda bij de afzonderlijke gemeente te leggen en de regionale agenda bij de regionaal samenwerkende gemeenten. In de praktijk is deze neiging ook sterk aanwezig, want deze afbakening lijkt overzichtelijk en efficiënt. Maar dit doet geen recht aan de verstrengeling van de agenda's. Zo uitgevoerd leidt ze tot steeds terugkerende wrijvingen. Het 'uit elkaar organiseren' van die twee agenda's leidt tot lacunes en onbeantwoorde vragen aan beide kanten. Er is dus niets aan te doen: de twee agenda's moeten in combinatie worden ontwikkeld. En dat betekent dat er naar twee kanten een dialoog moet worden georganiseerd: naar burgers en aanbieders, en naar andere gemeenten.

De eerste dialoog betreft de afstemming met burgers en aanbieders. Naar de aanbieders toe gebeurt dit in de vorm van marktconsultaties en desgewenst in een proces van bestuurlijk aanbesteden. In die dialoog ontstaat geleidelijk een scherper beeld van de behoeften, de deelpopulaties en het bestaande en nieuwe gewenste aanbod. Hiermee is inmiddels veel ervaring opgedaan door gemeenten. Dat geldt niet voor de dialoog met burgers, want hier is er het probleem dat er vele groepen burgers zijn, in bewonersverenigingen, buurthuizen, belangenorganisaties (bijvoorbeeld ouderenbonden), klanten-panels, Wmo-adviesraden en platforms voor vrijwilligers en mantelzorgers. Van welke groep is het oordeel gezaghebbend? Hoe voorkomen we dat kleine groepen burgers of 'wijkburgemeesters' te veel de stemming gaan bepalen? Het ligt voor de hand om vertegenwoordigers te kiezen van deelpopulaties als de meest direct belanghebbenden bij hulp en zorg en deze groep aan te vullen met actieve burgers die ook zelf ondersteuning bieden. Met deze keuze wordt voorkomen dat burgers alleen worden benaderd als consumenten en niet als medeverantwoordelijken voor het aanbod. Hier is het de kunst om de dialoog te voeren met een gemengde groep burgers waarin diverse rollen en belangen zijn vertegenwoordigd.

De tweede dialoog is die tussen de regionaal samenwerkende gemeenten. De grootste opgave is om hier als afzonderlijke gemeente een visie te ontwikkelen op de regionale ondersteuningsagenda en die zo veel mogelijk te delen met andere gemeenten. Gemeenten hechten aan hun autonomie en bestuurlijke soevereiniteit en dat heeft vaak tot gevolg dat verschillen worden benadrukt ten koste van de overeenkomsten. Waar de ene gemeente specialistische hulp en zorg wil organiseren en contracteren op basis van deelpopulaties wil de andere gemeente dat (juist) niet, bijvoorbeeld vanuit haar voorkeur om specialismen per geval in te kopen op basis van producten. Meningsverschillen hierover worden al gauw gecompliceerd door halve misverstanden en een gebrek aan greep op de lastige materie. Gemeenten staan echter voor dezelfde opgaven en dus zijn consensus of compromissen met enige goede wil wel te fabriceren. Brede contracten op basis van deelpopulaties en inkoop van losse producten hoeven elkaar niet uit te sluiten, want ook voor deelpopulaties worden producten ingezet maar dan in bundels. Het is de moeite waard om tussen gemeenten te komen tot dezelfde definities van vraag en aanbod (en tarieven), niet alleen met het oog op contractering maar ook om op langere termijn te komen tot een regionale ondersteuningsagenda die steeds compacter wordt. Zonder gezamenlijke definities is er geen effectieve regionale agenda en ontstaat het risico van een tekortschietend specialistisch aanbod. In de laatste paragraaf van dit hoofdstuk komen we hierop terug.

Idealiter leidt dialoog tot consensus. Consensus wil in bestuurlijke termen niet per se zeggen 'volledige overeenstemming op alle punten'.

Het gaat om een overeenstemming over de oplossingsrichting in grote lijnen. Dat laat de mogelijkheid open dat een gemeente uiteindelijk kiest voor een oplossing die niet helemaal strookt met de strekking van de gevoerde dialoog. Dit kan teleurstelling opleveren bij de gesprekspartners maar die is minder naarmate de gemeente beter zal uitleggen waarom die keuze gemaakt is. Dit vereist een hoge kwaliteit van de procesregie, waarin de rollen van gesprekspartner en eindverantwoordelijke overheid en opdrachtgever moeten worden gecombineerd.

8.2 Stimuleren van vraag en aanbod

Netwerksturing betekent ook netwerkontwikkeling. Het herontwerp van het sociaal domein brengt met zich mee dat vraag en aanbod gaan veranderen. Er zal sprake zijn van meer zelfzorg, meer aandeel voor actieve burgers, meer capaciteit voor preventie en lichte ondersteuning, meer keuzevrijheid voor burgers en een herordening van de specialistische hulp en zorg. Al deze verschuivingen laten zich niet in één beweging regisseren. Daar komt bij dat er nogal verschillende ingrepen nodig zijn om tot een nieuw patroon te komen. Lokaal zijn robuuste basisvoorzieningen nodig, de keuzevrijheid van burgers behoeft een aparte benadering en marktontwikkeling en innovatie vragen weer om eigen stimulansen. Hieronder gaan we daar verder op in.

Robuuste basisvoorzieningen: vaste aanbieders of via de markt
Hulp en ondersteuning in dorpen en wijken moeten laagdrempelig en nabij burgers worden georganiseerd. Het gaat om het welzijnswerk, het Centrum voor Jeugd en Gezin, het Sociale wijkteam en dergelijke, inclusief hun relatie met zorgaanbieders als huisartsen, thuiszorg en wijkverpleegkundige. Ook omvat dit de lichte individuele ondersteuning die zich goed laat inpassen in het hiervoor genoemde aanbod. Deze voorzieningen moeten robuust en betrouwbaar zijn, vergelijkbaar met basisvoorzieningen in andere domeinen zoals de wijkagent, de basisscho-

len en de afvalverzameling. Hier zal een gemeente zich doorgaans direct verantwoordelijk voor voelen en dit ook duurzaam (laten) organiseren en bekostigen. Meestal gebeurt dit door één of enkele partijen voor meerdere jaren te contracteren als 'preferred suppliers', op basis van subsidies. Het maatschappelijk werk en de GGD (jeugdgezondheidszorg) zijn hierbij voor de hand liggende partijen, maar ook komt het voor dat een gemeente liever een aparte stevige uitvoeringsorganisatie wil, zoals een stichting CJG of een eigen organisatie voor sociale wijkteams, inclusief specialistische capaciteit voor diagnose en consultatie. De uitvoering wordt dan in het publieke domein getrokken. Maar ook kan het zijn dat een gemeente ontevreden is over het bestaande aanbod en de aanbieders, wat voorstelbaar is bij langdurige subsidierelaties waar de prikkel tot vernieuwing is gaan ontbreken. De keuze kan dan zijn om – eventueel tijdelijk – te werken met aanbestedingen om via marktwerking nieuwe partijen op het speelveld te krijgen. Zo is de gemeente Rotterdam er in geslaagd om via aanbestedingen en concurrerende offertes nieuwe samenwerkingscombinaties van welzijn, maatschappelijk werk en thuiszorg te laten ontstaan, die kwetsbare burgers beter maatwerk kunnen aanbieden dan in de traditionele situatie met gescheiden aanbieders. Voor achterstandswijken bleek het zo mogelijk nieuwe basisvoorzieningen te creëren, misschien wat minder robuust maar wel beter passend bij de lokale omstandigheden.

Keuzevrijheid organiseren: via vraagverheldering en productenboek
Gemeenten hebben keuzevrijheid voor burgers hoog in hun vaandel staan. Dit vindt zijn oorzaak in breed gedeelde maatschappelijke en politieke opvattingen maar ook in de uitkomsten van onderzoek waaruit blijkt dat het kunnen maken van eigen keuzes door burgers positief uitwerkt op de resultaten van hulp en ondersteuning op het individu. Die gewenste keuzevrijheid heeft in het vorige decennium mede gestalte gekregen in hulp en ondersteuning op basis van een persoonsgebonden budget, het PGB. Daar zijn inmiddels vraagtekens bij gezet, zowel wat betreft de aanzienlijke volumegroei als de kwaliteit en resultaten van

de zo ingekochte steun. De eisen aan de PGB'en zijn nu in de nieuwe Wmo hoger gesteld: de burger moet een PGB beargumenteren, de gemeente moet een PGB afwegen tegen zorg in natura en het budget wordt overgemaakt naar de hulpverstrekker en niet meer naar de burger zelf. Dit betekent dat een PGB geen administratief automatisme meer is en dat het keuzemoment nu naar voren wordt gehaald, namelijk bij het stellen van de ondersteuningsvraag en het maken van de afweging over het passende arrangement. De keuzevrijheid kan dan diverse vormen aannemen: tussen aanbieders van hulp in natura, tussen hulpverleners bij één aanbieder, tussen alleen PGB-aanbieders of voor een mix van natura en PGB. Feitelijk vervaagt daarmee het verschil tussen PGB en hulp in natura. De gemeente kan op deze ontwikkeling inspelen door voldoende capaciteit vrij te maken voor vraagverhelderende gesprekken en een inzichtelijk 'productenboek', dat de burger (en primaire hulpverlener) inzicht geeft in mogelijke keuze(combinatie)s.

Markt ontwikkelen en tot innovatie prikkelen: vernieuwers een kans geven
Het sociaal domein en het totale veld van vraag en aanbod is te groot voor planmatige aansturing vanuit één logistiek centrum zoals een inkoopbureau. Er zijn te veel behoeften, functionaliteiten en deel-populaties om die vanuit één planning te kunnen beheersen. Er zijn steeds veranderingen en vernieuwingen, zowel gewenste als ongewenste, of onvoorziene effecten. Innovaties zijn vaak onvoorspelbaar. Dit wil niet zeggen dat een gemeente dan maar de zaken op hun beloop moet laten. Integendeel, het is van groot belang dicht bij de ontwikkelingen te blijven, de aanbieders en hun aanbod goed te kennen en te voorvoelen wanneer zich interessante nieuwe ontwikkelingen voordoen. De markt moet gekend worden! Zo zijn er in den lande diverse aanbieders van geestelijke gezondheidszorg die veel meer dan de traditionele aanbieders hun hulptrajecten ambulant organiseren en zo veel mogelijk laten aansluiten op de lokale hulpverleners en veel werk maken van de overdracht van de begeleiding naar familie en vrijwilligers. Gemeenten horen dit soort aanbieders te signaleren om zo te kunnen beslissen

ze een kans te geven bij contractering. Dit kan ook indirect gebeuren. Grote aanbieders hebben nu al de gewoonte om voor specifieke vragen onderaannemers in te schakelen. Zorgboerderijen bieden een welkome afleiding voor GGz-cliënten, die nu met hun handen aan de slag mogen. Bij de contractering van een grote instelling kan de gemeente als voorwaarde stellen dat in het aanbod voldoende variatie zit om te kunnen inspelen op uiteenlopende behoeften en dat daarom ook kleine gespecialiseerde aanbieders zullen worden ingeschakeld. Kritisch blijven meekijken is wel gewenst. Zo had in een landelijk gebied een zorgboerderij zich gespecialiseerd in het laten verzorgen van paarden door verstandelijk beperkte mensen. De exploitatie was vrijwel volledig gebaseerd op PGB's. De gemeente vroeg zich echter af of ze deze (kostbare) voorziening moest blijven steunen. Ze wist dat er voldoende andere 'gewone' boerderijen met paarden in het gebied waren waar de boer(in) bereid was om vrijwillig of tegen geringe vergoeding dezelfde begeleiding te bieden. Dat was aanleiding om de cliënten en de zorgaanbieders meer deze kant op te sturen.

Het stimuleren van vraag en aanbod gebeurt dus door robuuste basisvoorzieningen te scheppen, keuzevrijheid te organiseren, de markt te ontwikkelen en tot innovatie te prikkelen. Bij deze verschillende vormen van sturing staat steeds een gedegen kennis van vraag en aanbod voorop, alsmede het voortdurend communiceren met burgers en aanbieders over ontwikkelingen en wensen. Die inhoudelijke kennis en bemoeienis zijn cruciaal. Ze kunnen ook niet vervangen worden door meer afstandelijke instrumenten als kostprijsberekening, tariefstelling, subsidievoorwaarden of inkoopkavels. Natuurlijk moeten er zakelijk sluitende afspraken worden gemaakt, maar financiën en bekostiging borgen vooral de zakelijke aspecten en minder de inhoudelijke ontwikkeling. Dit relativeert ook de keuze tussen marktwerking en samenwerking. Beide principes kunnen te absoluut worden genomen en dan is er sprake van 'beleidsidolen' (zie kader). De kunst is juist om een mix van beide toe te passen, zoals deze paragraaf ook wilde illustreren.

Beleidsidolen

Marktwerking!

Inkoop van ondersteuning en hulp via aanbestedingen kan leiden tot een selectie van de meest passende aanbieder, die een optimale prijs-kwaliteit verhouding realiseert in de aangeboden voorziening. Veel gemeenten kiezen uit argwaan tegen de gevestigde aanbieders van gespecialiseerde hulp en zorg voor een marktbenadering waarin meerdere aanbieders worden uitgedaagd om te offreren. Er moet echter dan wel sprake zijn van marktcondities. Dat wil onder meer zeggen dat het aanbod transparant is op kwaliteit en prijs(verschil) en dat er een redelijk lage drempel is voor nieuwe toetreders tot de markt. Zo niet, dan is marktwerking afwezig en kunnen de daartoe ingezette instrumenten juist contraproductief werken. Als er maar één of enkele aanbieders functioneren in een lastig toegankelijke specialistische markt en als deze aanbieders veel aandacht besteden aan samenwerking en ketenintegratie leidt het opzetten van een aanbestedingsprocedure tot een toename van bureaucratie. Ook kan er competitie en afnemende bereidheid tot samenwerking tussen aanbieders ontstaan, ongunstig in een situatie waarin een goed sluitende keten van groter belang is dan een lage prijsstelling. Grosso modo zijn er in grootstedelijke gebieden met veel vragers en aanbieders betere voorwaarden voor marktwerking dan in plattelandsgebieden, waar vaak per sector slechts één aanbieder van enige omvang aanwezig is. In dat laatste geval kan het beter zijn die aanbieder te blijven contracteren maar wel af te spreken dat de tarieven in een benchmark periodiek worden beoordeeld op de landelijke prijsniveaus.

Samenwerking!

Samenwerking is nodig om tot een samenhangend aanbod voor burgers te komen. In veel situaties, zeker in een lastige transitiefase, is het nodig om de handen ineen te slaan om tot betere ondersteuning te komen. Door de jarenlange kritiek op de verkokering van het aanbod is samenwerking een bijna moreel beginsel geworden. Niemand durft daar afstand van te nemen. Maar samenwerking is een van de meest ingewikkelde manieren om samenhang te bereiken. Het kost veel tijd en energie. Zonder een scherp afgebakend doel verzandt samenwerking al gauw in een vruchteloze overlegcultuur. Als het mogelijk is om ondersteuning in de vorm van losse diensten in te zetten (zoals bij ambulante hulp voor enkelvoudige vragen), dan hoeft er minder te worden samengewerkt en hoeft dat ook niet als doel te worden gesteld. Of, als brede aanbieders een compleet pakket van begeleiding, hulp en zorg kunnen leveren kan het beter zijn ze dat te laten doen omdat ze dan zelf de keten (intern) coördineren. Samenwerking tussen disciplines en organisaties is doorgaans moeizaam, en moet alleen worden nagestreefd als er ook echt sprake is van een noodzaak van intensieve afstemming.

8.3 Ondersteuningsopdracht en prestatiecriteria

Ondersteuningsbehoeften van burgers worden vervuld op grond van functionaliteiten. In hoofdstuk 6 zijn deze omschreven als activiteiten die een gewenst effect opleveren voor een gesteld doel. Die gewenste effecten worden omschreven in behoeften en aantallen, zodat ze als prestaties meetbaar en contracteerbaar worden. Dit gebeurt in een overeenkomst tussen gemeente en aanbieders, die we hier aanduiden als een ondersteuningsopdracht. Het realiseren van prestaties staat hierin centraal. Maar hoe zijn deze te bepalen? Een verkenning in de jeugdzorg wees uit dat anno 2013 in de praktijk drie prestatiecriteria veelvuldig werden gebruikt: cliënttevredenheid, afname of stabilisatie van problematiek en doelrealisatie[18]. In de betreffende studie wordt het probleem opgeworpen dat in de toekomst, na de transitie, wellicht

---

18   Uniforme prestatie-indicatoren voor inkoop van Jeugdhulp door gemeenten na de transitie, H. Roerink, 2013.

nieuwe criteria nodig zijn. De transformatie van het sociaal domein richt zich op meer inzet van burgers, preventie en een verschuiving van intensieve naar lichte hulp en ondersteuning. Het gaat dus niet alleen om betere prestaties per hulpvorm, maar ook voor de hele keten van ondersteuning en hulp. Maatschappelijke effecten zijn ook van belang, evenals het meer geïntegreerd functioneren van die keten. Er is behoefte aan een brede, omvattende prestatiebepaling.

Tegelijkertijd is het ook nodig om die prestatiebepaling hanteerbaar te houden. Indicatoren zijn er in allerlei soorten en maten. Het aantal mogelijkheden is zo groot dat er het risico ontstaat van meetmania, het uitdijen van prestatiemetingen tot voorbij het punt waar ze nog handzame sturingsinformatie opleveren en waarbij ze een administratieve belasting gaan vormen. De kunst is om de voornaamste prestaties te vatten in een compact schema, een basisset van indicatoren in verschillende dimensies. Uitgaande van de transformatie zou deze basisset in ieder geval de volgende categorieën bevatten:

» Maatschappelijke effecten (bijvoorbeeld sociale index met betrekking tot leefbaarheid in een wijk)
» Doelrealisatie in een populatie (bijvoorbeeld gemiddelde participatie en zelfredzaamheid)
» Doelrealisatie op cliëntniveau (bijvoorbeeld vermindering klachten; ROM in de GGz)
» Cliënttevredenheid (bijvoorbeeld CQ-enquêtes van cliënten in hulpverlening)
» Productie (b.v. aantallen geholpen burgers/cliënten; aantal contacturen)
» Logistieke kwaliteit (bijvoorbeeld korte gemiddelde wachttijden; kleine wachtlijsten)
» Zorgvuldigheid (bijvoorbeeld direct inzetbare veiligheidsmaatregelen; privacyregelingen).

Een brede prestatiebepaling gaat dus niet alleen over resultaten maar ook over productie en werkwijze. Alleen meten van resultaten is te riskant. Resultaten zijn het gevolg van de ingezette hulp en ondersteuning maar worden ook beïnvloed door demografische factoren (bijvoorbeeld ontgroening of vergrijzing), economische omstandigheden (bijvoorbeeld veranderingen op de arbeidsmarkt) en overheidsbeleid op andere domeinen (bijvoorbeeld arbeidsmarkt, huisvesting en openbaar vervoer). Het aanbod van hulp en ondersteuning aan burgers moet leiden tot meer participatie en zelfredzaamheid maar er is geen sprake van een simpele rechtlijnige oorzakelijke beïnvloeding. Daarom is het nodig om in een ondersteuningsopdracht de gewenste prestaties gevarieerd aan te geven, in resultaten, productie en werkwijze. Deze aspecten zijn inmiddels goed te concretiseren in indicatoren. In diverse disciplines zijn hiervoor instrumenten ontwikkeld (die worden beschreven in de Capita selecta aan het einde van dit boek).

De vraag blijft echter hoe prestaties compact kunnen worden gemeten op een manier die breed toepasbaar is in het sociaal domein. Immers voor een gemeente is het wenselijk dat aanbieders kunnen worden vergeleken op prestaties, binnen en tussen disciplines. Daartoe moet de boven genoemde basisset worden vereenvoudigd. Dit is mogelijk door slechts twee prestatiecategorieën te onderscheiden: enerzijds de geleverde activiteit, de *productie en werkwijze* (bijvoorbeeld levering van lichte hulpverlening tot maximaal 5 gesprekken voor 150 cliënten uit wijk X) en anderzijds de *resultaten in de populatie en bij cliënten* (bijvoorbeeld zorgen dat in wijk X in twee jaar de score op de leefbaarheidsmonitor met 20% verbetert en dat bij 80% van de cliënten de klachten afnemen). Met het bepalen van productie- en resultaatcriteria per functionaliteit is het dus mogelijk een ondersteuningsopdracht te formuleren die én breed én compact de prestaties aangeeft. In het schema worden deze geïllustreerd met mogelijke indicatoren.

Functionaliteiten en prestaties met mogelijke indicatoren
voor productie en populatie

Functionaliteit		Prestaties met betrekking tot	
		Productie/werkwijze	Populatie/cliënten
Versterking van informele sociale netwerken		» Aantal contacten » Aantal contacturen	» % met genoeg contacten » % met welbevinden
Vergroting maatschappelijke participatie		» Variatie in activiteiten » Aantallen deelnemers	» Score participatieladder » Waardering activiteiten
Achterstandsbestrijding gezinnen/jeugdigen		» Passendheid aanbod » Aantallen deelnemers	» % deelname uit populatie » Minder achterstanden
Preventie en vergroting zelfredzaam-heid door	Lichte ondersteuning	» Gebruik hulpvormen » Korte wachttijden	» % effectief geholpen » % minder vervolgvraag
	Intensieve hulp en zorg	» Gebruik hulpvormen » Korte wachttijden	» % effectief geholpen » % met afname klachten
Hulp bij blijvende beperkingen		» Gebruik hulpvormen » Flexibiliteit van hulp	» Niveau zelfredzaamheid » Klanttevredenheid
Hulp bij regieverlies en crisis		» Integraal aanbod » Doorzettingsmacht	» Beperking regieverlies » Stabilisatie problemen

Inhoudelijke prestatiecriteria moeten vooraf gaan aan de keuze van de bekostigingsvorm. Discussies over opdrachtverlening en prestaties hebben al snel de neiging zich te richten op de wijze van bekostiging (van de functie, de productie of de populatie) en contractering. De keuze van bekostigingsvorm en contractvoorwaarden kan echter pas gemaakt worden als de gewenste productie en resultaten bekend zijn. Maar natuurlijk wordt ook nagegaan of er überhaupt aanbieders zijn die deze prestaties kunnen leveren, zoals in de vorige paragraaf werd besproken. Als dat het geval is kunnen er contracten worden afgesloten.

8.4 Selecteren en contracteren van aanbieders

De gevraagde prestaties moeten worden gecontracteerd en dat betekent dat de gemeente zich manifesteert als opdrachtgever. Ondanks die verantwoordelijkheid en positie blijft de gemeente afhankelijk van de aanbieders om tot een goede uitvoering te komen. Dat leidt ertoe dat gemeenten in enigerlei vorm meestal kiezen voor een contractering die verder gaat dan het inkopen van diensten. Aanbieders moeten ook transformatie tot stand brengen. De gemeente moet dus eerst kennis hebben van het vermogen van de aanbieder om binnen hun eigen activiteitenpakket of in samenwerking met anderen verschuivingen aan te brengen. Is hun bestuur en management voldoende krachtig om afdelingen te laten krimpen, samen te voegen of intern groepen over te hevelen? Zijn ze bereid en in staat om samen te werken met andere organisaties in de keten, inclusief de basisvoorzieningen? Ook als dat inhoudt dat ook hier cliënten worden overgedragen? Het antwoord op deze vragen speelt mede een rol bij het selecteren van aanbieders. En dat vereist dat de gemeente zich voorafgaand grondig oriënteert op het veld, zoals eerder geschetst. De keuze van aanbieders wordt gebaseerd op uiteenlopende maatstaven van kwaliteit, prijs en bestuurlijk vermogen.

Deze maatstaven komen uiteindelijk ook tot uitdrukking in de contractvoorwaarden, de zakelijke vertaling van het voorgaande. Gemeenten proberen de transformatie hierin te laten doorwerken. Daarvan uitgaande zijn de volgende voorwaarden[19] van belang:
» Omschrijving van de populatie
» Afstemming met andere populaties
» Afstemming op algemene methodiek
» Resultaten
» Ontzorging
» Kostenbesparingen

---

19   In de Capita selecta worden deze voorwaarden beschreven.

» Kwaliteit van het aanbod
» Bedrijfsvoering.

Bij de contractvoorwaarden hoort ook de keuze van de inkoopvorm. Deze keuze ligt in beginsel tussen bekostiging op basis van beschikbare functies, van de productie of van de populatie (zie Capita selecta). In de praktijk zal meestal worden gekozen voor een mix van deze vormen. Deze mix kan in de loop van de jaren verschuiven. Er kan lering worden getrokken uit de veranderingen in de bekostiging van de huisartsenzorg in het laatste decennium.[20] In 2006 werd een nieuwe structuur voor de bekostiging ingevoerd. Voorheen werd een huisartsenpraktijk vooral bekostigd op grond van het aantal ingeschreven patiënten, dus een populatiebekostiging. Om de productie van huisartsen als relatief goedkope 'poortwachter' voor de specialistische zorg te stimuleren werd in de nieuwe bekostiging meer nadruk gelegd op de vergoeding van de feitelijke productie, zoals consulten en andere handelingen. Mede hierdoor nam het aandeel van de productiebekostiging in het praktijkinkomen van de huisartsen toe. Nieuwe voorstellen van de NZa beogen het accent weer te verschuiven naar populatiebekostiging, via brede vergoedingen voor groepen patiënten met specifieke aandoeningen zoals diabetes. Tegelijk wordt hierbij gestreefd naar het 'belonen' van kwaliteitsresultaten, om te blijven zorgen voor een financiële prikkel in die richting.

Contractvoorwaarden en bekostigingsvormen zijn de zakelijke vertaling van de sturing door de gemeente. Ze vormen prikkels om de productie, werkwijze en resultaten van hulp en ondersteuning in een gewenste richting te laten gaan. Maar daarbij is wel een inhoudelijke koers nodig. Zonder duidelijke transformatiedoelen en ondersteuningsopdrachten werken de prikkels grof en kunnen ze leiden tot opportunistische oplossingen. Alleen door een mix van beïnvloedingsinstrumenten kan de gemeente het netwerk effectief aansturen. Dit stelt ook eisen aan

---

20   Monitor Huisartsenzorg 2008, NZa, 2009

de gemeente zelf. Hier is sturingscapaciteit nodig, naast inhoudelijk begrip en strategische visie.

8.5 Gemeentelijke sturingsfunctie

Wat moet een gemeente in huis hebben om goed te kunnen sturen? Het gaat om zowel de inhoudelijke als om de zakelijke sturing van het netwerk, waarbij die twee kanten ook goed met elkaar in evenwicht moeten zijn. De gemeentelijke beleids- en budgetcyclus voorziet in de reguliere besluitvorming en aansturing, maar daarbij komen nu de sturingsvormen zoals hiervoor besproken. In de gemeentelijke organisatie moeten capaciteit worden gecreëerd om dit te doen. Het gaat hierbij om drie hoofdtaken:
» Programmering en advisering,
» Contractering, contractbeheer en budgetbewaking
» Kwaliteitsbewaking en methodiekontwikkeling.

Programmering en advisering
Op grond van een (markt)analyse van aanbieders, aantallen cliënten en interventies worden trends bijgehouden en adviezen gegeven aan het bestuur over de ontwikkeling van het aanbod van ondersteuning, hulp en zorg volgens de doelen van de beleid. Dit omvat ook het identificeren van en het contact leggen met mogelijk nieuwe aanbieders met een interessant complementair of vernieuwend aanbod.

Contractering, contractbeheer en budgetbewaking
Er worden onderhandelingen gevoerd over contracten en het contractbeheer. Daarnaast is er sprake van budgetbewaking, dus het volgen van het tempo waarin de budgetten wel of niet uitgeput raken (met het risico van onderbenutting van capaciteit of juist van wachtlijsten). Zo nodig worden voor bepaalde gebieden of populaties decentraal werkende kwaliteits- en budgetfunctionarissen aangesteld. Desgewenst worden andere afdelingen van de gemeente geadviseerd bij het formuleren van hun 'aanpalende' beleid en contracten.

Kwaliteitsbewaking en methodiekontwikkeling

De samenhang van alle hulp en ondersteuning in het sociaal domein behoeft een algemene methodische werkwijze. Bij de contractering moet hiermee ook rekening worden gehouden. Hiertoe kan een apart platform in het leven worden geroepen, bestaande uit senior-professionals uit de belangrijkste vakdisciplines uit de ondersteuning en hulp. Dit platform is vanuit een eigen bestuurlijke opdracht verantwoordelijk voor een samenhangende inhoudelijke methodiek van triage, diagnoses, kwaliteits- en prestatiemetingen, professionalisering en veiligheid. In het volgende hoofdstuk wordt geschetst hoe zo'n platform in de vorm van een programmaraad een rol kan spelen bij het bereiken van de doelen van de transformatie in het veranderingsproces.

Deze drie hoofdtaken hangen samen en houden elkaar in evenwicht. Er wordt een balans gecreëerd tussen financiële en inhoudelijke (kwaliteits)afwegingen. Door het opnemen van een programmeerfunctie wordt ook het lange termijn perspectief meegenomen. Het gaat niet alleen om inkoop maar ook om sturing. Adviezen vanuit evaluaties en gesignaleerde nieuwe ontwikkelingen helpen het gemeentebestuur bij het maken van afwegingen. Het zal overigens duidelijk zijn dat de drie hoofdtaken een zware wissel zullen trekken op de ambtelijke capaciteit van kleine en middelgrote gemeenten. Het ligt daarom voor de hand om tenminste een deel van deze taken op regionaal niveau te leggen, bij een centrumgemeente of een inkooporgaan. Dit vraagt regionale samenwerking van gemeenten, een apart vraagstuk.

8.6 Regionale gemeentelijke samenwerking

In het hoofdstuk over de regionale ondersteuningsagenda wordt beschreven hoe de specialistische hulp en steun kan aansluiten op de generalistische ondersteuning. Dit is een van de lastigste vraagstukken van de transformatie, ook omdat het specialistische aanbod vaak op een hoger schaalniveau is georganiseerd dan de lokale, generalistische steun. Generalisme en specialisme hebben elkaar echter nodig en daardoor zijn de lokale en regionale ondersteuningsagenda's verstrengeld. Voor de gemeente betekent dit dat regionale gemeentelijke samenwerking onvermijdelijk is en dat daarmee de afhankelijkheid tussen gemeenten toeneemt. Die samenwerking is niet alleen inhoudelijk nodig maar ook vanwege de financiële risico's, vooral voor de kleinere gemeenten. Hier drukken de 'zware zorggevallen' zwaarder op de begroting dan in grote gemeenten, Vanwege de kleinere aantallen mensen die specialistische hulp en zorg nodig hebben is er huist een grotere kans op 'uitschieters' van het ene op het andere jaar, waardoor de uitgaven voor hulp en zorg sterk kunnen wisselen. Regionale samenwerking kan deze risico's verminderen door afspraken om deze te delen, geheel of gedeeltelijk (met de zogenaamde 'vlaktax'). Ook is regionale samenwerking tijd- en kostenbesparend doordat administraties kunnen worden gecombineerd en ook gezamenlijke productdefinities, tarieven en contracten kunnen worden gehanteerd. Dat scheelt ontwikkelingstijd, vermindert het aantal benodigde contracten en geeft de gemeenten ook meer onderhandelingsmacht ten opzichte van de aanbieders. Door deze afhankelijkheden zijn gemeenten feitelijk tot elkaar veroordeeld en is hun samenwerking onvermijdelijk.

Samenwerking is echter ook ingewikkeld en vraagt veel overleg. Juist doordat de lokale en regionale agenda's verstrengeld zijn is een scherpe taakverdeling lokaal-regionaal moeilijk te maken en lopen de verantwoordelijkheden al gauw in elkaar over. Als de begeleiding van een psychiatrische ex-patiënt lokaal is afgesproken maar door een regionale aanbieder wordt uitgevoerd, waar ligt dan de verantwoordelijkheid als toch opeens suïcide dreigt? Dit is een uitvoeringsprobleem maar ook een bestuurlijk probleem. Om risico's terug te dringen kan de gemeente ervoor kiezen om de begeleiding bij de behandelende GGz-instelling te leggen, maar ook is het aantrekkelijk om de begeleiding lokaal te zoeken. Een zelfstandig gevestigde psycholoog of een maatschappelijk werker zou het ook kunnen, wellicht voor een lager tarief. Maar reageren die tijdig en adequaat als het mis gaat? Dit voorbeeld laat zien dat de (gezamenlijke) gemeenten heldere criteria moeten hebben om casuïstiek toe te delen, ook om grote verschillen in behandeling tussen gemeenten te voorkomen. Het gaat om kosten én om kwaliteit. Regionale gemeentelijke samenwerking in het sociaal domein is een ander vraagstuk dan het gezamenlijk aan- of uitbesteden van milieudiensten of het gemeenschappelijk aansturen van de GGD. Door de verstrengeling van de agenda's is de uitvoering met elkaar vervlochten en daarmee ook het gemeentelijke beleid en de ambtelijke organisaties. De samenwerking betreft vele disciplines en niveaus binnen de gemeenten. Het gaat alleen om het samen inkopen van producten maar ook om het bundelen van capaciteit, van beleidsambtenaren, gemeentelijke inkoopfunctionarissen en controllers. Dit gaat ver en dat was ook in Denemarken de reden om de decentralisatie van hulp en zorg te koppelen aan een forse schaalvergroting van gemeenten. Dit is bij ons niet het geval en dus moet het komen van samenwerking.

Die gemeentelijke samenwerking vertoont op dit moment en wisselend beeld. Er zijn regio's die effectief de handen ineen hebben geslagen maar ook regio's waar argwaan en afstandelijkheid heersen en men elkaar weinig opzoekt en informeert. Gemeenten hebben een traditie van autonoom bestuur met een eigen democratisch mandaat en dat leidt er soms toe dat ze zich ten opzichte van elkaar profileren. Ten opzichte van de aanbieders van ondersteuning en hulp leidt dit tot verdeeldheid en een onduidelijke koers. Dit is een van de lastigste opgaven van de transitie, zoals ook in Scandinavië is gebleken, waar het specialistische aanbod is gemarginaliseerd waar elke gemeente het voor zichzelf wilde regelen. Hoe kunnen we in Nederland, waar de ambities zo hoog zijn gelegd, dit vraagstuk hanteren?

Het belangrijkste uitgangspunt voor gemeentelijke samenwerking is de inhoudelijke verstrengeling van de lokale en regionale ondersteuningsagenda's. Dat betekent dat die samenwerking gericht moet zijn op een werkbare uitvoering. Dat vraagt eenvoud in de structuur, veel verantwoordelijkheid voor het management en een directe verbinding tussen uitvoering en bestuur.

Eenvoud in de structuur wil zeggen dat het beste kan worden gekozen voor één model, dat betrekkelijk rechttoe rechtaan wordt ingevuld. Het kan gaan om een private constructie zoals een samenwerkingsovereenkomst of een coöperatie, of een publiekrechtelijk (WGR-) orgaan, zoals dat ook al bestaat voor de GGD. Een verdergaande vorm is om de ambtelijke organisaties te combineren, vooral de inkoop- en sturingsfunctie (zie vorige paragraaf) met daarbij ook de programmering en eventueel de beleidsadvisering. Dit laatste lijkt dan op gemeenten die hun ambtelijke organisaties laten samengaan in een regionale dienst of zelfs in één ambtelijk apparaat. Essentieel hierbij is dat er maar sprake is van één bestuurlijk orgaan met de relevante portefeuillehouders met een directe verbinding met de ambtelijke samenwerking.

Dit laatste wil zeggen dat de samenwerking op managementniveau een *conditio sine qua non* is voor effectieve samenwerking. Het gaat om de gemeentesecretarissen, de controllers en de afdelingshoofden of teamleiders die verantwoordelijk zijn voor het sociaal domein. Als ook deze niveaus elkaar kunnen vinden is de kans het grootst dat de afstand tussen lokaal bestuur en regionaal orgaan het kleinst blijft. Belangrijk is dan wel dat de genoemde functionarissen komen tot *gezamenlijk management* van het sociaal domein en zich niet gaan opstellen als 'verdedigers' van hun eigen gemeente. Daarbij hoort een regionaal bedrijfsvoeringsmodel, waarvan de lokale activiteiten en budgetten duidelijk benoemd zijn en dat ook past in de gemeentelijke begrotingscyclus. Uiteindelijk moet dit ertoe leiden dat ambtenaren taken gaan verdelen en er dus op gaan vertrouwen dat wat de andere gemeente doet versterkend is voor de eigen werkwijze. Alleen zo is het mogelijk dat ook kleine gemeenten (met vaak overbelaste ambtenaren) nog kunnen meedoen.

Tenslotte is een directe verbinding tussen uitvoering en bestuur nodig. In het regionale verband moet elke wethouder, haar/diens 'eigen' ambtenaar en de voor de regio werkende ambtenaren nauwe contacten hebben. De gemeente moet preciseren bij welk type activiteiten (bijvoorbeeld bij incidenten) de 'lokale lijn' wordt bewandeld en eventueel de lokale bestuurder naar voren treedt om beleid te bevestigen en beslissingen te nemen. Deze directe lijn is ook nodig om te voorkomen dat het gezamenlijke bestuurlijke orgaan op te grote afstand komt te staan van de uitvoering en het zicht verliest op de consequenties van eigen beslissingen. Uiteindelijk gaat het in het sociaal domein vaak om kwetsbare mensen en de ondersteuning daarvan blijft een delicate opgave.

9 Veranderingsroute

In het begin van dit boek zijn er kansen en risico's gesignaleerd. De voorgenomen ombouw van het sociaal domein is zinnig en realistisch, gezien de ervaringen daarmee in de ons omliggende landen én in ons eigen land. Maar de koppeling met budgetkortingen is riskant en het tempo is zorgwekkend. Is dat te doen en welke veranderingsroute past hierbij? Om die vraag te beantwoorden moet eerst de inhoud van de verandering in beeld komen. In de vorige hoofdstukken zijn de inhoud, de agenda's en de sturing aan de orde geweest, maar welke essentiële verschuivingen zijn nu nodig?

9.1 Meerdere verschuivingen

We keren terug naar de drie voornaamste transformatieopgaven in hoofdstuk 3, namelijk het uitbouwen van sociale netwerken van burgers, het creëren van een markante lokale ondersteuningsstructuur en het brengen van samenhang in het totale aanbod. De eerste twee opgaven houden in dat er sprake zal moeten zijn van een aanzienlijke verplaatsing van inzet en capaciteit tussen burgers, generalisten en specialisten. In de huidige situatie geven burgers elkaar steun in informele netwerken, door maatschappelijke participatie en bij achterstandsbestrijding (via maatjesprojecten). Vrijwilligers en mantelzorgers geven lichte ondersteuning aan medeburgers. Generalistische ondersteuning richt zich vooral op participatie, achterstandsbestrijding en lichte ondersteuning. Specialistische hulp en zorg wordt ingezet voor meer participatie (van eigen cliënten), voor intensieve en langdurige hulp en voor hulp bij regieverlies en crisis. Er zijn nu weinig raakvlakken en overlaps tussen deze drie ondersteuningstypen (zie schema).

Ondersteuning door burgers, generalisten en specialisten (huidige situatie)

functionaliteit	type ondersteuning (oude situatie)

versterking van informele sociale netwerken

vergroting maatschappelijke participatie

achterstandsbestrijding gezinnen/jeugdigen

preventie en vergroting zelfredzaamheid door

lichte ondersteuning

intensieve hulp en zorg

hulp bij blijvende beperkingen

hulp bij regieverlies en crisis

ondersteuning door burgers

generalistische ondersteuning

Specialistische hulp en zorg

In de nagestreefde situatie ligt de verhouding tussen deze drie ondersteuningstypen dramatisch anders. De ondersteuning door burgers bestrijkt nog hetzelfde palet van functionaliteiten maar wordt nu veel breder ingezet, ten dele ook voor mensen met meer uitgesproken individuele problemen, aandoeningen of beperkingen. Deze zijn ook in beeld bij de generalistische ondersteuning die hiervoor wordt geadviseerd en bijgestaan vanuit de specialistische hulp en zorg. Die beperkt zich meer tot hulp bij de echt zwaardere problematiek én het bruikbaar maken van hun kennis door de generalisten. Zo ontstaat een andere taakverdeling tussen de drie ondersteuningstypen, die ook meer op elkaar aansluiten en overlappen (zie schema).

Ondersteuning door burgers, generalisten en specialisten (streefsituatie)

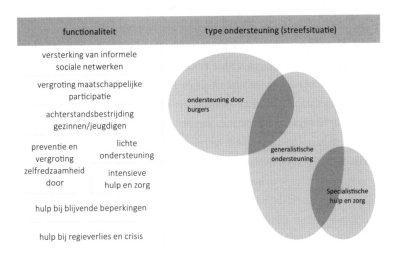

functionaliteit	type ondersteuning (streefsituatie)

versterking van informele
sociale netwerken

vergroting maatschappelijke
participatie

ondersteuning door
burgers

achterstandsbestrijding
gezinnen/jeugdigen

preventie en   lichte
vergroting   ondersteuning

generalistische
ondersteuning

zelfredzaamheid
door   intensieve
    hulp en zorg

Specialistische
hulp en zorg

hulp bij blijvende beperkingen

hulp bij regieverlies en crisis

Om de streefsituatie te bereiken moeten er verschuivingen plaatsvinden tussen de drie ondersteuningstypen. Dit is niet alleen een kwestie van structuren veranderen. Het gaat om de volgende verschuivingen:

a) Taakverschuiving: er gaan taken over specialisten naar generalisten en van generalisten naar burgers, er vindt een overdracht van steun en hulpverlening plaats

b) Capaciteitsverschuiving: de uren en financiën voor de ondersteuning van burgers en generalisten nemen toe en die van specialistische hulp en zorg neemt af

c) Kennisoverdracht: taakverschuiving is alleen mogelijk als specialisten adviezen en steun geven aan generalisten, de samenhang tussen de drie typen neemt toe

d) Invloedverschuiving: de lokale samenleving en ondersteuning krijgen een grotere rol ten opzichte van de (boven)regionaal georganiseerde specialistische hulpinstellingen.

Voor de eerder beschreven lokale en regionale ondersteuningsagenda's heeft dit verschillende consequenties. Bij de lokale ondersteuningsagenda gaat het om een relatief nieuwe opgave, waarbij bestaande taken van de gemeente op het terrein van welzijn en ondersteuning fors worden uitgebreid. Hier is het de grootste uitdaging om burgers uit te dagen en te helpen om elkaar meer ondersteuning te bieden, in nauwe samenwerking met de generalistische professionals. Bij de regionale ondersteuningsagenda ligt dat heel anders. Deze agenda is er op gericht de kwaliteit van het specialistische aanbod overeind te houden maar dit tegelijkertijd te laten krimpen en over te dragen aan de lokale agenda. Daarbij moet de samenwerking regionaal-lokaal intensiever worden. De agenda's zijn dus anders en ook de transformatie-opgaven. Lokale groei en regionale krimp moeten elkaar aanvullen en niet verstoren. De specialistische hulp en ondersteuning moet geleverd blijven worden en tegelijkertijd worden gecomprimeerd en ten dele ontmanteld terwijl de hulpverlening doorgaat. Continuïteit en verandering moeten met elkaar in balans blijven.

De transformatie bestaat dus niet uit één omvattende verandering maar uit meerdere op elkaar ingrijpende verschuivingen. Deze kunnen elkaar ook in de weg zitten. Voor een specialistische instelling is het niet eenvoudig om capaciteit te moeten inleveren en daarbij ook nog eigen knowhow ter beschikking te moeten stellen aan degene die groeit. Een apart fenomeen hierbij is de beweging naar het lokale niveau ten koste van het (boven)regionale niveau. Er vindt een schaalsprong naar beneden plaats. Voor het veranderingsproces van het sociaal domein is dat een extra uitdaging – en relevant voor de routebepaling.

9.2 Schaalsprong naar lokaal niveau

Bij de ombouw van het sociaal domein wordt vrijwel overal gezocht naar mogelijkheden en vormen om de lokale ondersteuningsstructuur meer gezicht te geven. Dit gebeurt onder uiteenlopende namen, zoals sociale wijkteams, jeugd- en gezinsteams, (ouderen)zorgteams en dergelijke. Gezien vanuit het veranderingsproces is dit een logische en cruciale stap. Stelselwijzigingen duren echter lang. In Denemarken duurde het ruim vijf jaar voordat de manco's van het oude stelsel waren teruggedrongen en de overgangsperikelen achter de rug waren. Toch kan verandering snel gaan. In ons land zijn vele proefprojecten uitgevoerd waarin burgers met problemen vroegtijdig werden geholpen. Het direct inzetten van praktische pedagogische thuishulp, van een brede gezinscoach of een casemanager dementie leidt er vaak toe dat later het beroep op meer intensieve en specialistische hulp en zorg afneemt. Vaak is het effectief als er tijdig een specialist wordt ingeschakeld, die met zijn diagnose de maatschappelijk werker of wijkverpleegkundige adviseert hoe met een probleem om te gaan. In dit soort projecten wordt de escalatieladder van steeds op elkaar volgende (en te late) zwaardere hulp (*stepped care*) gestopt door snel en stevig specialistisch in te grijpen (*matched care*). De ervaring heeft geleerd dat dit soort projecten al op korte termijn leidt tot een verminderd beroep op zwaardere hulp en zorg. Vaak loopt binnen één jaar de instroom naar de meer intensieve hulp en zorg terug, soms met tientallen procenten. Preventieve ondersteuning kan op korte termijn werken, als die maar ketenbreed wordt opgezet.

De trage verandering op het niveau van het stelsel en de snelle resultaten op het niveau van proefprojecten vormen een vreemd contrast. Waarom moet de verandering jarenlang duren terwijl in de praktijk na een paar maanden al gewenste effecten kunnen optreden? Waarom lukt op macroniveau niet wat op microniveau direct werkt? De vraag is min of meer retorisch, want het zal duidelijk zijn dat institutionele veranderingen nu eenmaal langzaam verlopen. De vier hierboven genoemde verschuivingen betekenen grote veranderingen in werkwijzen, mensen, budgetten en verhoudingen tussen en binnen organisaties. Proefprojecten zijn vaak effectief omdat ze een *uitzondering* vormen in de reguliere bureaucratische omgeving van grote instellingen. De opgave is nu om van deze uitzondering een leidend beginsel te maken voor het hele veranderingsproces. Als het lukt om op afzienbare termijn over de hele breedte van de transformatie preventieve effecten en besparingen te realiseren kan dat versoepelend doorwerken op het veranderingsproces. Kostenbesparingen en versnelling worden dan als vanzelfsprekend gerealiseerd, vanuit inhoudelijke vernieuwing en niet vanuit de druk van bezuinigingen en deadlines. Daarom is het in de veranderingsroute essentieel om macro en micro te verbinden. Anders gezegd: hoe creëer je rust en ruimte voor productieve kleinschalige initiatieven terwijl de druk op organisatieniveau groot is, zowel voor de gemeente als de aanbiedende organisaties? De veranderingsopgave is om van de 'kleine' uitzondering de 'grote' regel te maken – en wel zo snel mogelijk.

Nu is er in de traditie van bestuur en management al veel kennis over veranderingen in complexe stelsels, ook als het gaat om het verbinden van macro- en microniveau. Al in de jaren tachtig werd duidelijk dat de kunst van het strategisch veranderen juist bestaat uit het verbinden van groot met klein. Japans kwaliteitsmanagement maakte duidelijk hoe teams van productiemedewerkers in 'kwaliteitscirkels' tot procesverbeteringen konden komen die uiteindelijk het totale bedrijf een concurrentievoordeel opleverde dankzij hogere kwaliteit en lagere kosten. Dat lukte ook doordat de eerst kleinschalig uitgedachte verbeteringen op een gegeven moment algemeen geldig werden verklaard en in alle vestigingen van het bedrijf werden doorgevoerd – van boven af, juist zonder kleine teams in kwaliteitscirkels. De literatuur over professionele organisaties leert hoe belangrijk het is om grootschalige uitdagingen te vertalen in prikkels voor de persoonlijke ambities en de beroepstrots van individuele professionals in de uitvoering. Alliantiemanagers in het bedrijfsleven weten dat het nodig is om joint ventures en strategische samenwerking gefocust te houden op een beperkt aantal doelen, zodat het aantal betrokkenen overzichtelijk blijft en hun belangen nog zijn te verenigen. Vanuit de managementwetenschappen zijn er dus diverse inzichten beschikbaar voor complexe verandering. Verbeteringen uitproberen in kleine teams, beproefde methoden algemeen invoeren, uitdagingen persoonlijk maken en speelvelden beperkt houden zijn veel gevolgde principes. De vraag is hoe deze zijn te gebruiken bij de transformatie, waar het gaat om grote maatschappelijke belangen, kwetsbare processen en veel partijen. De principes zijn van toepassing, alleen de omgeving is wel erg complex.

Vanuit verschillende ervaringen met veranderingen in het sociaal domein is langzamerhand duidelijk geworden welke ingrepen bruikbaar zijn (ook al is het nog een opgave om ze goed toe te passen). Het gaat om de volgende instrumenten:

> Van proefprojecten naar 'grote operaties'
> Sturen op de kwaliteit van de uitvoering
> Initiatieven vanuit meerdere actoren.

9.3 Van proefprojecten naar 'grote operaties'

Het uitbouwen van sociale netwerken van burgers en het creëren van een markante lokale ondersteuningsstructuur zijn hiervoor benoemd als de eerste twee grote opgaven in de transformatie. Deze opgaven vragen om verschuivingen in taken, capaciteit, kennis en invloed tussen specialisten, generalisten en burgers. Die verschuivingen veronderstellen een maakbaarheid van het hele sociaal domein en een greep op het aanbod die voorlopig nog buiten bereik lijken. De huidige praktijk is er eerder een van allerlei pilots en proefprojecten, vaak uitgevoerd door diverse combinaties van organisaties, die zich op deelonderwerpen richten. Verschuivingen vinden plaats in een patroon van vele kleine pogingen zonder veel samenhang. De huidige praktijk van verandering is dus complex en onoverzichtelijk en waarschijnlijk ook ineffectief, zoals blijkt uit een voorbeeld van een jeugdhulpregio (zie kader).

Jeugdhulpregio: 65 proefprojecten en 16 veranderdoelen

In één van de jeugdhulpregio's werd een inventarisatie uitgevoerd van de proefprojecten die gaande waren om te komen tot een omslag van het systeem van jeugdzorg naar een nieuwe keten van zorg voor jeugd. De uitkomst was dat er 65 experimenten en pilots in uitvoering waren, waarbij een kleine twintig aanbieders van welzijn, hulp en jeugdzorg waren betrokken. De 65 proefprojecten hadden elk hun eigen onderwerp en doelen. Deze waren samen te vatten onder 16 veranderdoelen:

» Verbetering van de aansluiting tussen de gesloten jeugdzorg (plus) en de bredere jeugdhulp om de veiligheid van kinderen te verbeteren

» Ambulantisering van de jeugdhulp en afbouw van behandelbedden

» Invoeren van werkwijze om jongeren van een (semi)residentiële hulp gericht versneld terug naar huis te krijgen

» Integratie van verschillende spoed- en crisismeldpunten en idem spoedopvang

» Vormen van ketengroepen voor een betere afstemming binnen de specialistische zorg

» Ambulante begeleiding in en rondom scholen

» Integrale aanpak van complexe (multi) problematiek

» Versterken van specialistische zorg gericht op gezinnen

» Preventieve specialistische trainingen en ontwikkeling voor jongeren

» Ontwikkelen van werkwijze voor triage en casemanagement

» Opzetten van laagdrempelige integrale ondersteuning voor gezinnen

» Samenwerking tussen jeugdhulp en huisartsen

» Ontwikkelen van een systeem voor vroegsignalering

» Digitalisering van communicatie en werkwijzen

» Combineren van sociale wijkteams en vormgeving (nieuwe) CJG

» Deskundigheidsbevordering en kennisdeling gericht op transformatie.

Elk van deze veranderdoelen was zinnig en nuttig met het oog op transformatie. Ze waren echter allemaal op andere tijdstippen begonnen, in verschillende gebieden en met andere deelnemers. Er was geen samenhang tussen de projecten. Bovendien hadden veel proefprojecten een experimenteel karakter en werd er nog weinig casuïstiek in behandeld. Het resultaat van het geheel bleef daardoor onduidelijk en ongewis.

In beginsel is het mogelijk om uiteenlopende projecten in onderling verband te brengen door programmamanagement. Projecten zijn gericht op producten, programma's op het aansturen van meerdere projecten om strategische doelen in complexe situaties te realiseren, mede via het scheppen van draagvlak[21]. Bij veelomvattende innovaties is dit de voor de hand liggende benadering. De transformatie van het sociaal domein is echter dermate ingewikkeld, onvoorspelbaar en onplanbaar dat hier eerder sprake is van een *wicked problem*, een venijnig verandervraagstuk dat zoveel gedaantes heeft dat hier een meer improviserende aanpak onvermijdelijk is. Hierbij wordt gehandeld in meerdere dimensies tegelijkertijd, zoals inhoudelijke (urgente) problemen, inspelen op krachtige sentimenten, verbinden van sturingsniveaus, beginnen met 'laag hangend fruit', benutten van crisissituaties en budgetdruk.[22] *Wicked problems* laten zich alleen benaderen door te 'knutselen met diepgang', het benutten van zich voordoende kansen en omstandigheden en tegelijkertijd de blik gericht te houden op de gewenste resultaten op langere termijn.[23]

Die blik op langere termijn is essentieel om de transformatie gestalte te geven. In veel gemeenten is een programmaorganisatie voor de decentralisaties opgezet waarin de diverse onderdelen van de transities onder afzonderlijke projectmanagers vallen. Zo ontstaat er een situatie waarin de sociale basisvoorzieningen, de sociale wijkteams en de (inkoop van) lichte en intensieve hulp en zorg vorm krijgen in losse projecten. Tegelij-

---

21   Zie b.v. Caluwé e.a. (1999) en Hedenman e.a. (2005).

22   Zie b.v. Vermaak ((2009), Gerritsen (2011).

23   Zie Van Delden (2014).

kertijd worden de drie decentralisaties (Jeugd, Wmo, Participatie) vaak afzonderlijk uitgevoerd. In de veranderaanpak treedt dan verbrokkeling op en daarmee groeit het risico dat er te weinig verbetert ten opzichte van de bestaande situatie. Binnen de gemeente kan ook afstand of spanning ontstaan tussen bijvoorbeeld ambtenaren die het welzijnswerk contracteren, de kwartiermakers voor de sociale wijkteams en degenen die hulp en zorg inkopen. De veranderopgave is om het grote aantal projecten samen te bundelen tot slechts enkele 'grote operaties' die voldoende leiden tot de vier essentiële verschuivingen die eerder genoemd zijn. Het programma-management zou deze 'grote operaties' moeten omvatten, waarbij per 'grote operatie' gewerkt wordt via de improviserende aanpak voor *wicked problems* (zie schema).

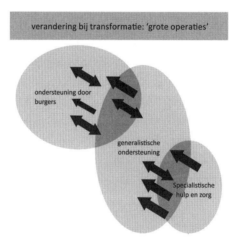

De keuze voor de onderwerpen van de 'grote operaties' hangt af van ambities, van lokale omstandigheden en van eerdere gezette stappen. Toch dringen zich de drie grote opgaven van de transitie (beschreven in hoofdstuk 4) zich als thema op. Deze drie opgaven vragen elk om eigen veranderingsacties, die er op gericht zijn om vanuit de huidige situatie de doelen van de transformatie te bereiken. Zo benaderd zijn er voor de meeste gemeenten in ieder geval drie 'grote operaties' aan de orde:

» *Uitbouwen van sociale netwerken van burgers*: bestaande wijkinitiatieven steunen en verder helpen, actieve bewoners en hun organisaties verantwoordelijk maken voor de uitbouw van sociale netwerken, ze eventueel hiertoe faciliteren, ontmoetingsplekken scheppen, ondernemers vragen om mee te doen met wijkactiviteiten, wijkwerkers of buurtondersteuners aanstellen en die een vaste plek geven in een woonzorgcentrum of bij een sociaal wijkteam.

» *Creëren van een markante lokale ondersteuningsstructuur*: Centrum voor Jeugd en Gezin en sociaal wijkteam uitbouwen tot een lokaal ondersteuningsnetwerk met directe, semi-informele relaties met actieve bewoners/ouders, welzijnswerk, maatschappelijk werk, scholen, jeugdartsen, huisartsen, wijkverpleegkundigen en private aanbieders van hulp en zorg zoals pedagogen en psychologen.

» *Samenhang brengen in het totale aanbod*: combinaties maken van generalistische en specialistische hulpverleners, één quick scan invoeren voor alle professionals, snelle consulten en diagnoses van specialistische aanbieders mogelijk maken (en betalen!), verschillende disciplines laten samenwerken in multidisciplinaire teams op meerdere niveaus, gebundelde professionaliseringstrajecten opzetten.

De veranderaanpak omvat dus enkele 'grote operaties' én een improviserende benadering om binnen elke 'grote operatie' de vele kleine projecten te stimuleren en te verbinden. De projecten zijn wisselend maar de 'grote operaties' zijn stabiele programma's over meerdere jaren. Daarbij doet zich een lastig dilemma voor. Het succes van de vele kleine projecten wordt bepaald door de professionals op de werkvloer. Hoe zijn deze te sturen zonder ze te dwingen?

9.4 Cruciaal: kwaliteit van de uitvoering

Sociale wijkteams floreren bij enthousiaste professionals die nieuwe paden durven te betreden. Bewoners laten zich alleen activeren door wijkwerkers die het subtiele evenwicht tussen bemoeien en loslaten steeds opnieuw weten te vinden. Alleen jeugdartsen die hun verantwoordelijkheid breed opvatten komen tot samenwerking met andere disciplines. Een goed bruikbaar specialistisch advies aan een generalist behoeft adviesvaardigheden en inleving van een expert. Op alle niveaus in het sociaal domein is de transformatie afhankelijk van professionele ervaring, durf en finesse. Dat is een schaars goed. Die kwaliteiten zijn – bij voldoende ervaring – te ontwikkelen, maar dat vraagt een stevige inzet op (bij)scholing en coaching, van één tot soms enkele jaren. De eerder genoemde successen op microniveau zijn sterk afhankelijk van krachtig ontwikkelde en doorleefde 'ontzorgingsvaardigheden' bij professionals met ook al enige ervaring in hun mars hebben. Kleine stijlverschillen maken veel uit. Het is goed mogelijk dat in een keukentafelgesprek twee professionals dezelfde checklists, vraagprocedure en klantbenadering volgen en dat er toch aanzienlijke verschillen optreden in de respons van burgers. Goede stijl maakt het verschil. Maar juist hierin verschillen mensen sterk. Goede stijl is nauwelijks te garanderen.

In veel proefprojecten en startende sociale wijkteams is inmiddels deze ervaring opgedaan. Voorzichtig wordt dit gegeven bespreekbaar. Men is terughoudend om deze cruciale succesfactor aan de orde te stellen. Aanbieders van welzijn, hulp en zorg zijn er verlegen mee, want het gaat om hun medewerkers en daar hebben buitenstaanders in principe geen bemoeienis mee. Gemeenten vinden het ook lastig om harde eisen te stellen, want dan mengen ze zich in het personeelsbeleid van een aanbieder. Bovendien hoort een moderne overheid toch alleen te sturen op het 'wat' en niet op het 'hoe'? Competenties van medewerkers zijn bijna niet te contracteren. En toch zijn het juist deze competenties, van 'best persons', 'pioniers' of 'generalisten' die er toe doen in de transformatie. En als deze vaardigheden zo cruciaal zijn zullen ze ook geborgd moeten worden. Kortom: voor het zeker stellen van resultaten in de uitvoering moet ook op kwaliteit in de uitvoering worden gestuurd. Er moet een werkwijze worden gevolgd om de vereiste 'best persons' te rekruteren, te trainen, te selecteren en te coachen. Die werkwijze is ook in opkomst. In Nijmegen investeerde de welzijnsorganisatie langdurig in een ontwikkelingstraject voor medewerkers, die in kleine, stevig begeleide groepen hun praktijksituaties presenteerden aan kritische buitenstaanders, volgens het principe 'vreemde ogen dwingen'. Met een mix van prikkels lukte het om een groot deel van de welzijnswerkers in een andere werkwijze te krijgen, meer gericht op het stimuleren van initiatieven van burgers. In een grote gemeente werd besloten om toe te gaan werken naar een stabiel personeelsbestand van enkele tientallen wijkwerkers die uitgezet zouden worden bij de sociale wijkteams om daar informele sociale netwerken van burgers te gaan stimuleren. Gemeente en instellingen zetten samen deze groep op door gerichte personeelsontwikkeling, assessments en loopbaanplannen. Alleen zo werd het mogelijk de benodigde competenties voldoende beschikbaar te krijgen.

Kwaliteit van de uitvoering kan betrekking hebben op professionele capaciteit, maar ook op andere kenmerken van de uitvoering die doorslaggevend zijn voor transformatiesucces. Het gaat bijvoorbeeld over de invoering van een quick scan-methode (zie de tekst over CAF in paragraaf 7.4), over de manier van signaleren, diagnosticeren en verwijzen, over de verstrekking van informatie en persoonsgegevens, over het profiel van de generalistische casemanager, over het monitoren van resultaten en over escalatie en doorzettingsmacht. Het geheel van deze uitvoeringskenmerken is een voorwaarde om met succes de derde opgave van de transformatie aan te gaan, namelijk het realiseren van samenhang in het totale aanbod. Het vloeiend in elkaar overlopen van ondersteuning door burgers, generalistische ondersteuning en specialistische hulp en zorg lukt alleen maar wanneer urgenties worden gedeeld, afgesproken werkwijzen worden gevolgd en dezelfde taal wordt gesproken. Uitvoering is méér dan een *finishing touch*, het is de ultieme kwaliteit die nooit vanzelfsprekend uit het voorafgaande denkwerk voortvloeit en dus eigen aandacht vraagt.

Kwaliteit van uitvoering is niet goed te realiseren via formele sturings-instrumenten. Beleid, prioriteiten, budgetten, inkoopvoorwaarden en prestatie-eisen geven een kader maar geen garantie. Het oproepen van uitvoeringskwaliteit loopt vooral via 'zachte' beïnvloeding: stijl, betrok-kenheid, professionalisme, een oplossingsgerichte cultuur en commu-nicatie. Er moeten teams, samenwerking en een focus ontstaan die als vanzelfsprekend de gewenste resultaten oproepen. Net zoals bij goed georganiseerde professionele organisaties kan dit gebeuren door dit soort teams zorgvuldig samen te stellen, ze afgebakende opdrachten en werkwijzen mee te geven en verder veel ruimte te geven om in de praktijk hun eigen oplossingen te creëren. Die opdrachten en werkwijzen zijn niet vastgelegd in contracten of prestatiemetingen, want die zouden alleen maar tot calculerend gedrag leiden. Nodig is dat die uit eigen kring komen, liefst van een groep ervaren professionals die ze doordacht hebben op hun werking en gevoelig zijn voor regelmatige bijstelling vanuit de dagelijkse praktijk. Het 'management van professionals' moet gebeuren door mede-professionals, want daarvan wordt inhoudelijke sturing geaccepteerd.

In het sociaal domein bestaan inmiddels al verschillende voorbeelden van hoe sturing op de uitvoeringskwaliteit gestalte kan krijgen:

» In de jeugdzorg hebben wetenschappelijke gedragsdeskundigen (pedagogen of psychologen) de rol om medewerkers jeugdbescher-ming methodisch te adviseren en te coachen. Ze staan ze ook bij als zich complexe gevallen voordoen. Deze werkvorm is mede ont-wikkeld om risico's voor jeugdigen terug te dringen maar kan ook vruchtbaar zijn om lokale hulpverleners of zelfs mantelzorgers te instrueren en adviseren.

» In het passend onderwijs hebben schoolbesturen een ondersteu-ningsplicht voor leerlingen die extra aandacht vragen. Om dit ver-antwoord te doen nemen ze deel aan een samenwerkingsverband Passend Onderwijs, dat doorgaans beschikt over eigen deskundigen die de school adviseren over hun leerlingen en leraren eventueel bijstaan bij lastige situaties. Scholen versterken zo hun capaciteit om leerlingen met problemen op te vangen. De adviseurs van het samenwerkingsverband stimuleren deze ontwikkeling, waarbij ze vanuit hun pedagogische en didactische kennis de leraren onafhankelijk van het schoolbestuur adviseren en begeleiden.

» In de dementiezorg is een landelijke zorgstandaard ontwikkeld voor goede zorg, waarbij brede casemanagers dementie een belangrijke rol hebben. Deze richten zich niet alleen op de cliënten maar ook op hun naasten en andere hulpverleners. In sommige samenwerkingsverbanden rondom dementie functioneert een programmaraad van 'zware' professionals (psychiaters, geriaters), die de methodiek bijhoudt, toeziet op de samenwerking tussen zorginstellingen en ook met (beleids)voorstellen kan komen. De leden van de programmaraad zijn werkzaam bij de specialistische aanbieders als de GGz of ziekenhuizen, maar stellen zich onafhankelijk van hun werkgever op.

De genoemde voorbeelden komen uit het 'oude' sociaal domein maar bieden een oplossing voor het dilemma dat uitvoeringskwaliteit zich moeilijk laat afdwingen, zeker niet vanuit de positie van een gemeente als opdrachtgever. In het nieuwe sociaal domein kan deze vorm worden toegepast door het creëren van een programmaraad zoals hierboven genoemd bij de dementiezorg, maar nu breder, bijvoorbeeld voor elk van de 'grote operaties' zoals hierboven genoemd. Die programmaraad opereert onafhankelijk van de gemeente en de aanbieders, en adviseert over de (beproefde) methodiek, de samenwerking, de vereiste competenties, opleidingen en assessments. Ook kan de programmaraad eigen evaluaties uitvoeren ten dienste van de gemeente en de aanbieders van hulp en zorg. Op deze manier kan worden bereikt dat de gemeente niet alleen bepalend is voor het 'wat' maar ook invloed heeft op het 'hoe'. Die invloed wordt uitgeoefend door de programmaraad te bekostigen en de specialistische instellingen op te dragen daarvoor een senior-professional te leveren of hiervoor onafhankelijke experts aan te trekken. De kwaliteit van de uitvoering is dan geborgd maar niet van bovenaf opgelegd.

9.5 Veranderingsroute: waar ligt het initiatief?

De omvattende veranderingen in het sociaal domein vragen om 'grote operaties' en om stimulering van de uitvoering, van bewegingen op grote én op kleine schaal. Op meerdere niveaus wordt gehandeld en gestuurd en dat roept vaak het probleem op van los van elkaar lopende initiatieven. De gemeente wil als opdrachtgever haar positie tot gelding brengen en stuurt met kadernota's, uitvoeringsprogramma's, het instellen van sociale wijkteams, marktconsultaties en aanbestedingen. Aanbiedende instellingen willen meegaan met de transformatie en daarbij als aanbieder in beeld blijven maar hebben tegelijkertijd te maken met concurrentie en krimp. Soms verenigen ze zich om een brede gesprekspartner te zijn voor de (eveneens samenwerkende) gemeenten en ook van hun uit greep te houden op het onoverzichtelijke veranderingsproces. Gemeenten en aanbieders bezien elkaar soms met argwaan. Aanbieders zijn bang dat gemeenten te weinig oog hebben voor de soms vergaande afhankelijkheid van hun cliënten van het bestaande aanbod en overgaan tot bruuske maatregelen met schade voor zorgvuldig opgebouwde hulpstructuren en daarmee ook voor hun eigen burgers. Gemeenten vragen zich af of aanbieders het niet te makkelijk hebben gehad met de vroegere geldstromen en vanwege gebrek aan tegenspel inflexibel en inefficiënt zijn geworden.

In deze situatie vullen gemeenten hun rol als opdrachtgever verschillend in. Een deel van de gemeenten kiest voor een stevige invulling van de rol en probeert zo veel mogelijk middelen en sturing naar zich toe te halen. Dat komt er op neer dat er veel budget en capaciteit wordt gelegd bij de lokale ondersteuningsstructuur zoals het sociale wijkteam en het Centrum voor jeugd en gezin. Ook de lichte ondersteuning wordt hier ondergebracht en misschien zelfs een deel van de intensieve hulp en zorg. De gemeente is een *dominante* opdrachtgever, neemt het initiatief en probeert zo veel mogelijk aanbod lokaal te houden. Daarmee kan snel een kostenbesparing worden bereikt in de intensieve hulp en zorg. De specialistische instellingen zullen dan op korte termijn sterk moeten krimpen maar daar is de gemeente niet verantwoordelijk voor. Het initiatief ligt dus vooral bij de gemeente en nauwelijks bij de aanbieders. Vanuit de transformatie gezien is deze veranderaanpak logisch. Ze veronderstelt echter dat de vier grote verschuivingen die aan het begin van dit hoofdstuk werden aangeduid op korte termijn kunnen plaatsvinden. Daarbij is deze aanpak ook sterk afhankelijk van het vermogen van de gemeente en de lokale ondersteuners om al snel een lokale ondersteuningsstructuur te creëren die direct voorziet in een groot deel van de behoeften en problemen van burgers. Dat kan, als er in de voorafgaande jaren al hard is gewerkt aan deze lokale ondersteuningsstructuur, bijvoorbeeld in de vorm van wijkgericht welzijn in nauwe samenwerking met huisartsen, van sterke bewonersinitiatieven, een dekkend aanbod van dagactiviteiten voor ouderen of een goed functionerend Centrum voor Jeugd en Gezin. Een dominante rol van de lokale ondersteuningsstructuur is alleen effectief als die lokale structuur ook bewezen presteert. Zo niet, dan vallen er gaten tussen het lokale en het specialistische aanbod en ontstaan manco's in de ondersteuning en hulpverlening die moeilijk zijn te herstellen. Het nachtmerriescenario is dan een overbelasting van een zwak functionerend sociaal wijkteam, capaciteitsgebrek en wachtlijsten bij de specialistische aanbieders en kwetsbare burgers die niet of slecht worden geholpen.

Een ander deel van de gemeenten kiest voor een *terughoudende* invulling van de rol van opdrachtgever en probeert aanbieders initiatieven te laten ontwikkelen om de transformatie inhoud te geven. Veel aanbieders, ook de specialistische, hebben met vooruitziende blik al meegedaan met wijkgerichte initiatieven en hebben hier al vormen van lichte ondersteuning en preventief werken op gezet. De gemeente stuurt er op aan dat deze initiatieven worden doorgezet en aansluiten op de sociale wijkteams en de (uitgebouwde) Centra voor Jeugd en Gezin, Ze draagt de instellingen op om hun wijkprojecten daarmee te integreren. De gemeente laat daarmee een deel van de capaciteit en het budget bij de aanbieders en geeft hen de opdracht om meer samen te gaan werken en zo tot kostenbesparingen te komen. Met deze veranderaanpak wordt meer de weg van de geleidelijkheid bewandeld en creëert de gemeente tijd om de vier grote verschuivingen in stappen tot stand te brengen. Deze aanpak is dus minder doorbrekend maar is daarmee ook meer afhankelijk van de veranderkracht bij de aanbieders van welzijn en hulp. Zij moeten in staat zijn om binnen hun eigen organisatie een verschuiving te realiseren van intensieve naar lichte hulp (bijvoorbeeld door ambulantisering) en hecht met elkaar te gaan samenwerken als die verschuiving ook tussen aanbieders moet plaatsvinden. Dat laatste is natuurlijk lastig, want hier zal al gauw de ene instelling moeten snijden in eigen vlees ten gunste van de andere. Het risico van deze benadering is dat de instellingen er te weinig in slagen om hun eigen aanbod en organisatie te veranderen en daarmee een stevig beroep blijven doen op de financiële middelen met als gevolg dat er te weinig handelingsruimte en budget resteert voor de echt lokale en preventieve ondersteuning. De transformatie komt dan niet van de grond en de hulpverlening gaat vanwege krimpende middelen dan ook achteruit.

Moet de gemeente zich dominant of terughoudend opstellen? Moet ze de invloed van de aanbieders terugdringen of moet ze die juist medeverantwoordelijk maken voor het veranderingsproces? Wat is de voornaamste kans en wat is het grootste risico? Bij de beantwoording van deze vragen is het belangrijk om het veranderingsproces niet teveel als een losstaand probleem te zien, als een spel van posities, rollen, geld en macht. De inhoud en de beschikbare veranderkracht moeten leidend zijn. Deze kunnen per problematiek, leeftijdsgroep en gebied anders liggen. Als er bijvoorbeeld bij gezinnen en jeugdigen geen urgente of omvangrijke problemen zijn en de aanbieder breed denkt en in staat is tot verandering en samenwerking is er alles voor te zeggen om die een ruime opdracht te geven. Maar als in bepaalde wijken sprake is van vergrijzing en een concentratie van alleenstaande ouderen met een depressierisico, en als de aanbieders weinig initiatief en vernieuwingsdrang tonen moet de gemeente acteren en aansturen op het stevig bezetten van informatie-punten, Wmo-loketten en activiteitencentra, zo nodig met inschakeling van nieuwe aanbieders. Het initiatief moet dus liggen daar waar het probleem dringend is en waar zich sterke actoren manifesteren. Dit kan betekenen dat de veranderingsstrategie varieert per bevolkingsgroep, gebied of problematiek. Dat doet recht aan het kleinschalige karakter van de meeste behoeften en problemen van burgers – en aan de principes van de decentralisatie, die zo ook naar de opstelling van de gemeente worden doorgetrokken.

9.6 Transformatie binnen de gemeente

De afweging op inhoud en beschikbare kwaliteit geldt ook voor de gemeente zelf. Wat hebben de gemeentelijke diensten en afdelingen in huis aan analytisch vermogen, kennis van vraag en aanbod, con-tacten met burgers en aanbieders, en besluitkracht? Veel gemeenten zijn laat begonnen met het opbouwen van ambtelijke capaciteit om de decentralisatie gestalte te geven en worstelen lang met de omvang en complexiteit van de sturings- en veranderingsproblemen. Daar komt nog bij dat de cultuur van de gemeentelijke organisatie meer gericht is op beleid en bestuurlijke besluitvorming en minder op uitvoering en het bereiken van resultaten. Er is veel intern overleg nodig om alle aspecten en belangen van de decentralisaties in het oog te houden en af te wegen, met als gevolg dat er minder tijd is voor externe contacten en regievoering. Externe partners merken dat wanneer initiatieven vanuit de gemeente te laat komen of uitblijven en als er in het overleg regelmatig nieuwe vertegenwoordigers van de gemeente verschijnen die in hun opstelling andere accenten leggen dan hun voorganger. Er is dan weinig sprake van een gemeentelijke netwerkstrategie, zoals beschreven in het vorige hoofdstuk. Daarom is de interne verandering van de ge-meentelijke organisatie ook een deel van de transformatie. De opgave is hier om een programmaorganisatie op te bouwen die in staat is om de genoemde elementen van de netwerkstrategie samenhangend uit te voeren. Dat is ook de reden waarom de inkoopfunctie in het vorige hoofdstuk breder is omschreven dan alleen contract- en budgetbeheer. Vanwege de financiële en contractuele verantwoordelijkheden en risico's is het logisch om de inkoopfunctie een belangrijke plaats te geven in de programmaorganisatie voor het sociaal domein, maar dan wel ingebed in meer inhoudelijke taken, zoals evaluatie en programmering.

De gemeentelijke programma-organisatie moet uiteindelijk worden gericht op de doelen van de transformatie en dus ook trekker zijn van de 'grote operaties', zoals eerder in dit hoofdstuk beschreven. Dit pleit er voor om de voornaamste programmamanagers ook op die onderwerpen te benoemen. Op korte termijn is het begrijpelijk dat meer instrumentele en financiële onderwerpen de meeste aandacht vragen, zoals inkoop, budgettering en aansturing van aanbieders. Op langere termijn is het gewenst om een overgang te maken naar een inhoudelijke en strategische inrichting van de programma-organisatie op basis van de sleutelopgaven zoals eerder omschreven, namelijk het activeren van burgers, het creëren van een markante lokale ondersteuningsstructuur en het brengen van samenhang in het totale aanbod. Een veranderstrategie vraag om een veranderorganisatie die daarbij past.

10 Samenvatting: kernstrategie

De ingrijpende verbouwing van het sociaal domein in ons land biedt grote kansen maar brengt ook forse risico's met zich mee. Talloze deelproblemen dringen zich op maar toch moet de blik gericht blijven op de echte transformatie, de versterking van de rol van burgers en een verschuiving naar meer preventieve vormen van ondersteuning en hulp. Kunnen de partijen dit aan? Onder de last van de vele praktische complicaties verdwijnen de maatschappelijke wensbeelden al snel achter de horizon. Essentieel is om de echte doelen vast te houden en die handzaam te maken.

Andere landen in Noord-Europa hebben al eerder gedecentraliseerd. De resultaten van deze decentralisaties in het buitenland wisselen. De gekozen richting wordt breed gesteund en nieuwe lokale hulpvormen komen van de grond maar schieten soms ook te kort. Voor de transformatie in Nederland is dit een *wake-up call*: het einddoel is realistisch maar de route daar naar toe zal het uiterste vragen, ook vanwege het gekozen tempo. Vanuit deze waakzame invalshoek is een kernstrategie te formuleren om het einddoel van de transformatie stevig in beeld te houden. In essentie volgt deze een doelgerichte lijn.

Drie sleutelopgaven vasthouden
De transformatie is samen te vatten in drie grote veranderingsopgaven:
  » *Uitbouwen van sociale netwerken van burgers:* bestaande wijkinitiatieven steunen en verder helpen, actieve bewoners en hun organisaties verantwoordelijk maken voor de uitbouw van sociale netwerken,

ze eventueel hiertoe faciliteren, ontmoetingsplekken scheppen, ondernemers vragen om mee te doen met wijkactiviteiten, wijkwerkers of buurtondersteuners aanstellen en die een vaste plek geven in een woonzorgcentrum of bij een sociaal wijkteam.

» *Creëren van een markante lokale ondersteuningsstructuur*: Centrum voor Jeugd en Gezin en het sociaal wijkteam uitbouwen tot een lokaal ondersteuningsnetwerk met half-informele relaties met actieve bewoners/ouders, welzijnswerk, maatschappelijk werk, scholen, jeugdartsen, huisartsen, wijkverpleegkundigen en private aanbieders van hulp en zorg zoals pedagogen en psychologen.

» *Samenhang brengen in het totale aanbod:* combinaties maken van generalistische en specialistische hulpverleners, één quick scan invoeren voor alle professionals, snelle consulten en diagnoses van specialistische aanbieders mogelijk maken (en betalen!), verschillende disciplines laten samenwerken in multidisciplinaire teams op meerdere niveaus, gebundelde professionaliseringstrajecten opzetten.

Deze sleutelopgaven zijn de ankerpunten voor de hervormingen en het veranderingsproces. Effectief uitgevoerd zijn ze de drijvende kracht om te komen tot een andere verhouding tussen intensieve en specialistische hulp en de meer lokale en preventieve ondersteuning. Die overgang vereist drastische verschuivingen in taken, van mensen, geld, kennis en macht. Praktisch zijn die verschuivingen goed in te vullen, maar echte transformatie treedt pas op als de drie sleutelopgaven leidend zijn in de veranderingsaanpak. Hiertoe worden de behoeften van burgers in overzicht gebracht, wordt het hulpaanbod geherstructureerd vanuit een lokale en een regionale ondersteuningsagenda en gaan gemeenten sturen via de netwerken van organisaties en professionals.

Behoeften van burgers in overzicht brengen
De vragen en problemen van burgers moeten leidend zijn bij de inrichting van het sociaal domein. De diversiteit van deze vragen is

gigantisch en toch is het noodzakelijk om deze in één overzicht samen te brengen om gerichte keuzes te kunnen maken bij de inzet van professionals en hun organisaties. In essentie is er onderscheid te maken tussen sociale ondersteuningsbehoeften, individuele ondersteuningsbehoeften en steun bij complexe multiproblematiek. Via een sociale wijkscan zijn deze behoeften in beeld te brengen voor leeftijdsgroepen. Daarmee is het mogelijk om behoefteprofielen van wijken en dorpen te maken, van daaruit beleidsambities te formuleren en het aanbod te bepalen.

Lokale ondersteuningsagenda hanteren
Dit aanbod krijgt gestalte in de lokale ondersteuningsagenda. Daarin worden ambities vertaald in functionaliteiten van het aanbod. De elementaire functionaliteiten zijn:

- » versterking van informele sociale netwerken,
- » vergroting van maatschappelijke participatie
- » achterstandsbestrijding van gezinnen en jeugdigen
- » lichte ondersteuning
- » intensieve hulp en zorg
- » hulp bij blijvende beperkingen
- » hulp bij regieverlies en crisis.

Met deze functionaliteiten zijn lokale ambities te concretiseren naar professionele inzet en budget. Ook deze concretisering moet in het teken staan van de belangrijkste lokale veranderingsopgaven: uitbouwen van sociale netwerken van burgers en creëren van een markante lokale ondersteuningsstructuur. Met dat laatste wordt bedoeld dat het beter is om één krachtige vorm van steun en hulp uit te bouwen dan de inzet te versnipperen over allerlei hulpvormen en activiteiten. Smoel geven werkt beter dan uitsmeren. Die markante keuze geeft richting en roept energie op, nodig om de veranderingen gaande te houden.

Regionale ondersteuningsagenda invullen

De lokale ondersteuning en hulp moeten aansluiten op de specialistische hulp en zorg, die vaak regionaal blijft georganiseerd. Daarom is voor die specialistische hulp een regionale ondersteuningsagenda nodig. In beginsel moet de lokale agenda leidend zijn, maar dat is ingewikkeld, want de lokale en de regionale ondersteuningsagenda's zijn verstrengeld. Bij het afstemmen van lokale generalistische ondersteuning en regionale specialistische hulp zijn er in beginsel twee benaderingen: uitgaan van de behoeften van een deelpopulatie met specifieke problemen of de lokale samenhang van ondersteuning en hulp voorop stellen. De eerste benadering richt zich meer op continuïteit en beheersing van overgangs-risico's, de tweede meer op verandering en snelle decentralisatie. De kunst is om hier te faseren.

Gemeentelijke netwerksturing realiseren

Naast de sturing via de gebruikelijke beleids- en budgetcyclus moeten de gemeenten ook sturen via het netwerk van aanbieders. De gemeente is opdrachtgever én netwerkspeler. Deze netwerksturing vereist nieuwe sturingsinstrumenten:

» dialoog voeren over de lokale en regionale ondersteuningsagenda
» stimuleren van vraag en aanbod in de markt
» formuleren van ondersteuningsopdracht en prestatiecriteria
» selecteren en contracteren van aanbieders.

Netwerksturing vraagt ook om een keuze in de spanning tussen markt-werking en samenwerking. Beide zijn aan de orde en kunnen elkaar aanvullen. Wel moet de gemeente in de veranderingsaanpak bepalen in hoeverre zij wil optreden als dominante dan wel als een terughoudende opdrachtgever. Die keuze kan ook afhangen van de bestaande samen-werking in het veld en de sturingskracht bij aanbieders. Verder moet de gemeente intern een brede programmaorganisatie opbouwen, nodig om het veranderingsproces in het spoor te houden. Die programmaorgani-satie zal zich, naast de praktische en instrumentele taken, uiteindelijk moeten richten op de drie sleutelopgaven voor de transformatie zoals die in het begin zijn genoemd. Dit werkt ook door in de regionale samenwerking van gemeenten, die niet alleen bestuurlijk nodig is maar juist ook voor en in de uitvoering.

Capita selecta

In dit laatste gedeelte van dit boek komen onderwerpen aan bod die in de hoofdlijn van het betoog relatief veel ruimte zouden vragen maar wel een eigen beschrijving verdienen. Bij het 'vullen' van de ondersteuningsagenda kan het nodig zijn om op sommige thema's dieper in te gaan. Vandaar 'Capita selecta': facultatieve schetsen voor de lezer met gerichte interesse.

Typologie van wijken en dorpen: sociale *couleur locale*

Elke gemeente is anders. En binnen elke gemeente zijn ook de buurten, wijken en dorpen anders. De verschillen tussen gemeenten en tussen de wijken en dorpen in een gemeente zijn soms uitgesproken, zeker in de beleving van bewoners. Hoe spelen deze verschillen een rol bij het concretiseren van de ondersteuningsagenda? Allereerst gaat het er om de verschillende delen van een gemeente duidelijk aan te wijzen en hun lokale identiteit te benoemen, vanuit het oogpunt van het sociaal domein. Wat is hun sociale *couleur locale*? Wat karakteriseert de sociale kant van een dorp of een wijk? Het gaat er om de historisch gegeven kenmerken om te zetten naar een beeld van de ondersteuningsbehoeften, zoals hiervoor omschreven. Hieronder typeren we enkele veel voorkomende wijken en dorpen[24].

---

24   Mede ontleend aan 'Vertrouwen in de buurt', WRR, 2005.

Achterstandswijken

In de grote steden worden de 19e-eeuwse wijken tegenwoordig weer bewoond door jonge mensen en gezinnen die graag in een stedelijke omgeving vertoeven en zijn de wijken uit de jaren vijftig en zestig de achterstandsgebieden geworden. Maar ook in dorpen kunnen achterstandswijken voorkomen, vooral in Oost- en Zuid-Nederland. In de afgelopen decennia is veel gedaan aan de fysieke kant van deze (kracht) wijken maar de sociale problematiek is veelal gebleven. In de minst aantrekkelijke buurten wordt veel verhuisd, de sfeer onder de bewoners is anoniem en er is weinig zelforganisatie. Daar staat tegenover dat er juist in achterstandswijken vaak sprake is van veel informele ondersteuning in de vorm van burenhulp of steun in familieverband, vooral bij sommige culturele minderheden. Maar die informele zelfondersteuning blijft beperkt tot wat bewoners zelf kunnen opbrengen (bijvoorbeeld boodschappen voor elkaar doen) en de aansluiting met het professionele hulpaanbod is vaak afwezig. Er is een bovengemiddelde ondersteuningsbehoefte, zowel sociaal als individueel en bij de aanpak van multiproblematiek. Maar de aard daarvan verschilt sterk per wijk. Soms is er sprake van één of enkele straten met veel multiproblemen, huiselijk geweld en overlast. In grote steden zijn er woonwijken (vooral in de hoogbouw) met veel sociaal isolement, met name bij ouderen. Omdat in het sociale beleid achterstandswijken extra aandacht behoeven is het nodig om hier meer op kleine schaal na te gaan waar de behoeften liggen, tot op straatniveau.

Middenklassewijken

In middenklassewijken is er sprake van veel sociale samenhang en zelforganisatie van burgers. Mensen hebben hun leven meestal redelijk op orde maar wonen dicht bij elkaar en ervaren deze onderlinge afhankelijkheid ook. Ze oriënteren zich ook op de voorzieningen die in een stad dichtbij zijn. De betrokkenheid bij de wijk is groot en daardoor ook de neiging om elkaar te helpen. De sociale ondersteuningsbehoefte is laag. Multiproblematiek komt relatief weinig voor. Op individueel niveau kunnen er wel verspreide problemen zijn, zoals schulden, werkloosheid, ziektes en beperkingen. Wanneer het professionele ondersteuningsaanbod goed aansluit op de informele netwerken kan het effect ervan worden vergroot.

Voorstandswijken

De meest welvarende burgers wonen in villawijken met vrijstaande woningen. Ze hebben hun leven doorgaans goed geregeld en beschikken over voldoende sociale contacten, zij het meestal niet in de direct omgeving maar met familie en vrienden in de regio of zelfs in andere landsdelen. De relatie met de wijk is beperkt, de agenda biedt ook weinig ruimte voor lokale sociale contacten vanwege werk, sport en cultuur. Als er behoefte is aan ondersteuning, hulp en zorg wordt die privaat opgelost. Bij opvoedingsproblemen gaan ouders niet naar het Centrum voor Jeugd en Gezin maar naar een vrijgevestigde psycholoog of pedagoog, eventueel aan de andere kant van de stad. Vaak wordt ook privé betaald. In beginsel zijn er dus weinig ondersteuningsbehoeften, maar dat komt ook doordat ze vaak onzichtbaar blijven. Bewoners in voorstandswijken zijn weinig op de hoogte van elkaars problemen en noden, ook vanwege gêne om deze te tonen. Hierdoor kunnen individuele probleemsituaties, zoals eenzaamheid en psychische problemen, lang verborgen blijven en in die afzondering verergeren. Daarom is het belangrijk dat de meest nabije hulpverleners zoals de huisarts en de wijkverpleegkundige optreden als ogen en oren van de bredere lokale ondersteuningsstructuur en bij escalatie hun cliënten verder helpen.

Forensendorpen

Sommige dorpen fungeren vooral als woonplaatsen en minder als werkcentra. Er kan sprake zijn van een goede mix tussen de 'ingezetenen', de van oudsher daar levende bevolking, en de 'import', degenen die daar zijn gaan wonen vanwege het prettige woonklimaat. Als die twee groepen goed samengaan is er vaak sprake van een hoge graad van activiteiten en zelforganisatie, met veel vrijwilligers. Dit is een goede voedingsbodem voor verdergaande burgerinitiatieven zoals zorgcoöperaties. De behoefte aan sociale ondersteuning is daardoor vaak laag. Dat kan ook gelden voor de individuele ondersteuning, hoewel in een welvarende en overzichtelijke dorpsomgeving toch specifieke problemen kunnen optreden, zoals alcohol- en drugsgebruik en 'verborgen armoede'. Juist in een omgeving waarin het met de meeste mensen goed gaat kan individuele problematiek extra schrijnend zijn en ontbreekt de moed om steun en hulp te vragen. Er is weinig multiproblematiek, soms enkele overlastgevende jeugdgroepen. Net zoals bij de voorstandswijken ligt hier de uitdaging om sommige bewoners uit hun isolement te halen en de informele ondersteuning te verbinden met het professionele aanbod via een herkenbare en goed geregelde toegang.

Plaatsen ('Storpen')

De chemie tussen de ingezetenen en import kan ook ontbreken. Dit kan het geval zijn in plaatsen waar de culturen sterk uiteen lopen, bijvoorbeeld als een deel van de ingezetenen afkomstig is uit (vroegere) ongeschoolde fabrieks- of landarbeid en het andere deel hoog scoort op de sociaaleconomische ladder. Het leefklimaat kan dan juist meer anoniem zijn. Grotere plaatsen met dit kenmerk worden daarom wel eens 'storpen' genoemd: er zijn redelijk wat voorzieningen, dus de plaats is een beetje stad, maar er is weinig te doen, dus ook een beetje dorp. In dit soort plaatsen kan gebrek aan activiteiten, weinig participatie en sociaal isolement een veel voorkomend patroon zijn. Jongeren kunnen in groepen overlast veroorzaken. Het is van belang om in te zetten op een versterking van de sociale context en meer activiteiten, bijvoorbeeld via een Kulturhus, een dorpsondersteuner of het creëren van een woonservicezone of -centrum voor ouderen.

Traditionele dorpen

In landelijke gebieden zijn er nog dorpen waar de traditionele bevolking overheerst en de 'import' zich heeft beperkt tot een villawijkje. Vaak zijn de van oudsher gevestigden gewend om veel zaken zelf te regelen, variërend van de inrichting van de straat (in overleg met de gemeente) tot dorpshuis en Paasvuur. Ook in dit soort dorpen worden initiatieven genomen voor zorgcoöperaties. Burenhulp is vaak vanzelfsprekend. In sommige Drentse dorpen bestaat nog de gewoonte om te collecteren voor een gezin waar iemand overleden is. Het sociale leven staat echter minder open voor nieuwkomers dan in gemengde dorpen. Sociale controle is gewoon voor de gevestigden maar kan benauwend zijn voor het individu. Er bestaat ook de neiging om behoeften en problemen van medebewoners wel te zien (en in eigen kring te bespreken) maar deze niet naar buiten te brengen. Bij ouderen kan sociaal isolement dan toch een probleem worden. Psychische en psychiatrische problemen blijven vaak lang doorgaan, totdat echte overlast ontstaat, de gemeenschap niets meer met de buurman kan en er in één keer intensieve zorg of zelfs opname nodig is. Daarom is het bij dit soort dorpen essentieel dat de lokale ondersteuning de vorm heeft van één of enkele vaste hulpverleners of vrijwilligers die ook de rol hebben van vertrouwenspersoon voor degenen die hun vragen en problemen liever niet met de buren delen.

Woondorpen
Bewoners van woondorpen (of kleine kernen) zijn vaak tevreden over hun leefomgeving. Het is er vaak groen, ruim en rustig, en dat compenseert het gebrek aan winkels en andere voorzieningen. Er zijn veel vrijwilligers, men vangt elkaar op waar dat nodig is en vaak worden activiteiten opgezet, zeker als er veel kinderen zijn. Kleine kernen hebben wel last van vergrijzing en dat wordt vooral een probleem voor ouderen boven de 75 jaar. Hun mobiliteit neemt af, hun huis (en vooral de tuin) wordt minder geschikt en ook door ouderdomskwalen neemt het contact met de buren af. Hierdoor hebben ze de neiging om te willen verhuizen naar een groter dorp in de omgeving waar meer winkels en betere woon- en zorgvoorzieningen zijn. Omdat de intramurale ouderenzorg afneemt is verblijf in een verzorgingshuis geen optie meer en gaat het er om de eigen woning aan te passen of te verhuizen naar een zorgappartement. Een mix van vrijwilligersinzet en bredere (thuis)zorg kan mogelijk maken dat ouderen langer thuis blijven wonen.

Deze typeringen vormen alleen een verkenning van de *couleur locale* in het sociaal domein. Het zijn ideaaltypische schetsen van de lokale ondersteuningsbehoeften. Deze schetsen zijn de basis van de lokale ondersteuningsagenda, het voornaamste onderdeel van het gemeentelijke beleid voor het sociaal domein.

Sociale wijkteams en Centra voor Jeugd en Gezin

Sociale wijkteams en Centra voor Jeugd en Gezin zijn organisatorische constructies, bedoeld om ondersteuning dichter bij burgers te brengen, de samenhang in het aanbod te vergroten en via toegangsbewaking een verschuiving van intensieve naar lichte vormen van ondersteuning en hulp te bewerkstelligen. Per saldo moet dit tot preventie leiden. In paragraaf 4.2 wordt besproken dat sociale wijkteams en CJG's gezien moeten worden als structuren en werkwijzen die niet samenvallen met de uitvoering van ondersteuning en hulp. Die uitvoering omvat simpelweg te veel – van huisartsen tot wijkverpleegkundigen tot maatschappelijk werkers en jongerenwerkers – om allemaal in een sociaal wijkteam of CJG te kunnen worden opgenomen. Daarom is het nodig om deze *beperkingen* van Sociale wijkteams/CJG's goed te zien, hun taken scherp te definiëren en de uitvoering als een netwerk aan te sturen en te contracteren. Sociale wijkteams en CJG's hebben een focus nodig.

Die focus van de Sociale wijkteams en CJG's richt zich op ondersteuningsbehoeften van burgers en functies.

Bij de ondersteuningsbehoeften van burgers is te onderscheiden:
» sociale ondersteuningsbehoeften (welbevinden en welzijn) voor een brede groep burgers: sociale activiteiten, participatie en maatjesprojecten, vrijwilligerssteun
» individuele ondersteuningsbehoeften, vooral lichte ondersteuning

voor een brede groep burgers: maatschappelijk werk, Wmo-voorzieningen, hulp in het huishouden

» individuele ondersteuningsbehoeften van kwetsbare burgers die gebaat zijn bij, meer intensieve hulp en zorg: schuldhulpverlening, specifieke dagbesteding, persoonlijke verzorging

» intensieve en integrale steun bij complexe multiproblemen: dak- en thuislozen (bemoeizorg), gezinsmanagers, aanpak van overlast.

Bij de mogelijke functies van Sociale wijkteams/CJG's zijn te onderscheiden:

» Activeren van burgers, versterken van sociale netwerken in de wijk
» Ondersteunen van zelfzorg en zelforganisaties van burgers
» (Vroeg)signalering en vroeghulp/ondersteuning ('keukentafelgesprek')
» Toeleiding naar lichte ondersteuning (algemene voorzieningen)
» Toegang naar intensieve zorg (maatwerk)
» Triage, trajectplannen en monitoring (algemeen casemanagement)
» Multidisciplinair overleg bij multiproblemen
» Ontwikkeling van (nieuwe) wijkvoorzieningen
» Regie op samenwerking in de lokale hulpverlening
» Uitvoering van lokale ondersteuning en hulpverlening.

Dit totale pakket van mogelijke functies is te groot om op korte termijn te kunnen realiseren. Het is ook de vraag of veel taken niet 'naast' de Sociale wijkteams/CJG's kunnen worden gelegd, bijvoorbeeld bij bewonersorganisaties, het welzijnswerk of breed werkende grote aanbieders. Bij de start van veel CJG's en Sociale wijkteams is er vaak weinig (bewust) focus aangebracht voor degenen die dit moesten uitvoeren met als gevolg dat ze al werkende weg moesten bepalen waar de meeste behoefte aan was. Er is ook weinig oog geweest voor de beperkte rol en invloed van de nieuwe structuren. Hierdoor zijn in de invoeringspraktijk sterke en zwakke kanten van Sociale wijkteams en CJG's naar voren gekomen.

Sterke kanten:

» Versterking van nabije voorzieningen en hulp, gestalte en 'smoel' geven aan preventie en vroeghulp
» Koppelen van welzijn en zorg, mix van sociale/medische triage in relatie met huisarts en wijkverpleegkundige
» Creëren van 'landingsplaats' voor cliënten die uit intensieve behandeling en zorg (terug)komen
» Makkelijk kunnen op- en afschalen van casuïstiek (afhankelijk van samenwerking in totale keten).

Zwakke kanten:

» Passeren van bestaande samenwerkingsverbanden in de wijken, creëren van nieuw extra echelon
» Ontbreken van samenwerkingsrelatie met huisartsen en wijkverpleegkundigen
» Belast met een te brede doel- en taakomschrijving, gebrek aan focus en haalbare streefdoelen
» Onderschatting van het netwerkspel, te eenzijdige of te lichte teambezetting om samenspel in de wijk op te bouwen
» Onduidelijke, soms gespannen of competitieve relatie met specialistische aanbieders (GGz, VVT-instellingen, dementiezorg, jeugdzorg)
» Onduidelijk relatie tussen ondersteuning en hulp voor jeugd en volwassenen, tussen Sociale wijkteam en Centrum voor Jeugd en Gezin.

De voor de transformatie meest relevante vraag op gebiedsniveau is de inrichting van de sociale basisstructuur en het opzetten van een markante lokale ondersteuningsstructuur. Sociale wijkteams en CJG's zouden hiervoor de kernelementen kunnen zijn, maar dan moeten eerst meer inhoudelijke keuzes worden gemaakt over vraag, gewenste aanbod en functionaliteiten (zie hoofdstukken 5 en 6).

Functionaliteiten en bijpassend aanbod

In dit boek worden de volgende functionaliteiten van het aanbod van ondersteuning en hulp onderscheiden:

- » Versterking informele sociale netwerken
- » Vergroting maatschappelijke participatie
- » Achterstandsbestrijding van gezinnen en jeugd
- » Preventie en vergroting van zelfredzaamheid door:
  - › Lichte ondersteuning
  - › Intensieve hulp en zorg
- » Hulp bij blijvende beperkingen
- » Hulp bij regieverlies en crisis.

Hieronder worden de functionaliteiten kort getypeerd. Als illustratie worden steeds enkele voorbeelden genoemd die niet uitputtend bedoeld zijn.

Versterking informele sociale netwerken
(Licht) kwetsbare burgers zijn gebaat bij sterke sociale netwerken in hun omgeving. Het dagelijkse contact met andere burgers geeft een gevoel van geborgenheid, meedoen en zingeving. Ook worden dagelijkse kleine problemen gedeeld en opgelost. Sociale netwerken kunnen versterkt worden zowel door het stimuleren van hun eigen activiteiten als door de inzet van actieve niet of minder kwetsbare burgers. Essentieel is dat het hier gaat om het ontwikkelen van eigen contacten tussen mensen die daarmee beter in staat zijn om met elkaar dagelijkse vragen en problemen op te vangen zonder professionele ondersteuning.

Voorbeeldactiviteiten zijn:

- » Jongerenwerk (buurtgericht)
- » Steun voor deelname aan sportverenigingen
- » Maatjesprojecten voor/tussen gezinnen/jeugdigen
- » Open koffie-ochtenden woonzorgcentrum
- » Vrijwilligersondersteuning/buurtbemiddeling

- » Mantelzorgondersteuning
- » Dorpsondersteuner/vrijwilligerscoördinator
- » Sociale steunsystemen.

Vergroting maatschappelijke participatie
Inactiviteit en sociaal isolement kunnen ook worden verminderd door mee te doen aan georganiseerde activiteiten of (vrijwilligers)werk. Kwetsbare burgers die te weinig betrokken zijn in de samenleving kunnen gebruik maken van algemeen toegankelijke educatieve en vrijetijdsactiviteiten die een bijdrage leveren aan de versterking van de aantrekkelijkheid en toegankelijkheid van hun nabije omgeving (wijk, dorp). Bij voorkeur leveren ze daar ook zelf een bijdrage aan, zoals licht verstandelijk beperkte mensen die boodschappen doen voor ouderen.

Voorbeeldactiviteiten zijn:
- » Buurtbemiddeling/klussendienst
- » Vrijwilligerswerk
- » Dagactiviteiten en -opvang
- » Buurt- en bewonersvereniging
- » Deelname aan bibliotheek, sport, speeltuin, et cetera.

Achterstandsbestrijding van gezinnen en jeugd
(Potentiële) achterstanden van gezinnen en kinderen moeten op tijd worden waargenomen en zo mogelijk worden voorkomen of teruggedrongen. Kinderen met een (potentiële) achterstand kunnen deze voorkomen of verminderen via algemeen toegankelijke educatieve activiteiten en voorzieningen voorafgaand aan, bij of in de school. Deze functionaliteit is bij veel gemeenten al een gegeven in het beleid (lokale educatieve agenda) en in gesubsidieerde voorzieningen. Het is nu extra aan de orde vanwege de overkomst van jeugdzorg naar gemeenten en de noodzaak om de jeugdhulp te laten aansluiten op het passend onderwijs. Een deel van de jeugdhulp staat ook in het teken van achterstandsbestrijding, namelijk waar sprake is van een combinatie van leerproblemen, achterblijvende

ontwikkeling en een zwakke sociaaleconomische positie van gezinnen en jeugdigen. Het gaat om een deelpopulatie die gebaat is bij een gezamenlijk aanpak door gemeenten, scholen en de aanbieders van jeugdhulp.

Voorbeeldactiviteiten zijn:
» Voor- en vroegschoolse educatie
» Deelname aan peuterspeelzalen
» Ambulante jeugdhulp in achterstandsscholen.

Preventie en vergroting van zelfredzaamheid
Sociale problemen, ziektes en beperkingen kunnen een aanslag doen op het vermogen van mensen om hun eigen leven op orde te houden. Dit kan een verstoring zijn van het gewone leven van burgers en het natuurlijke gevoel van zelfbeschikking dat daarbij hoort. Een belangrijk doel van hulp en ondersteuning is daarom preventie en het behoud of herstel van zelfredzaamheid van mensen. Hierbij onderscheiden we generieke en specifieke problemen.

Veel voorkomende vragen en problemen behoeven *lichte ondersteuning*. Burgers met deze generieke vragen en problemen houden door een lichte individuele ondersteuning greep op het eigen leven. Dat kan doordat die ondersteuning inpasbaar is in hun gewone leven en aanvullend is op de reguliere voorzieningen (huisarts e.d.). De uitvoering vindt zo veel mogelijk plaats in de wijk/het dorp en in ieder geval de gemeente.

Voorbeeldactiviteiten zijn:
» Schoolmaatschappelijk werk
» Jeugdgezondheidszorg (onder meer consultatiebureau, schoolverpleegkundige)
» Jeugd- en opvoedhulp (licht ambulant)
» Leun- en steuncontacten
» Maatschappelijk werk/schuldhulpverlening
» Inloop GGz en psychologische hulp (basis-GGz).

Specifieke en complexe problemen behoeven *intensieve hulp en zorg*. Burgers met deze zwaardere vragen en problemen worden gesteund met specifieke ondersteuningstrajecten op grond van een professionele methodiek. Hierbij vereisen de hulp en ondersteuning een aanpassing van hun gewone leven omdat er meer tijd moet worden vrijgemaakt en de hulp vaak buitenshuis plaatsvindt, soms (semi)residentieel. Door ondersteuning bij specifieke problemen met gerichte specifieke trajecten wordt de greep op het eigen leven versterkt. Korte specialistische en intensieve hulptrajecten kunnen helpen om de complexiteit van het probleem te doorgronden en cliënten vroegtijdig te helpen om hun probleem aan te pakken (*matched care*).

Voorbeeldactiviteiten zijn:
» Eigen Kracht conferenties voor gezinnen
» Mantelzorgondersteuning
» Pleeggezinnen voor jongeren
» Woonbegeleiding
» Cliëntondersteuning van mensen met een beperking (incl. trainingen)
» Psychiatrische hulp en behandeling.

Hulp bij blijvende beperkingen
Sommige problemen zijn blijvend. Dat kunnen aangeboren beperkingen zijn (lichamelijk en cognitief) maar ook ziektes en kwalen die chronisch zijn geworden. Ook hier richten de hulp en ondersteuning zich op zelfredzaamheid, maar binnen de gegeven beperkingen. De zelfredzaamheid kan bij deze groep hoogstens licht verbeteren, stabiel blijven of in een verlangzaamd tempo achteruit gaan. In de verschillende specialistische vakgebieden is de laatste jaren veel aanbod ontwikkeld dat zich richt op het zoveel mogelijk normaliseren van het leven van mensen met een chronische aandoening, ondanks hun beperking.

Voorbeeldactiviteiten zijn:

» (F)ACT-teams bij ernstige psychiatrische aandoeningen (EPA)
» Begeleiding van jongeren met een verstandelijke beperking
» Beschermd of beveiligd wonen.
» Casemanagement bij dementie.
» Specifieke dagbesteding voor mensen met beperkingen
» Kortdurend verblijf/respijtzorg.

Hulp bij regieverlies en crisis
Mensen kunnen te maken krijgen met problemen die hun leven grondig overhoop gooien waardoor ze (tijdelijk) niet meer in staat zijn dat zelf te organiseren. Dit is vaak het geval bij multiproblematiek en bij *life events*, gebeurtenissen die het leven ontregelen, zoals een mentaal traumatische ervaring of herenletsel. Deze situatie vraagt om een regisserende ondersteuning, die al of niet tijdelijk de organisatie van het dagelijks leven overneemt, geheel of gedeeltelijk. Burgers met dit soort ontregelende problemen worden geholpen met regisserende ondersteuningstrajecten waarbij de ondersteuning ook een ingreep betekent en vraagt in hun gewone leven.

Voorbeeldactiviteiten zijn:

» Ondertoezichtstelling of voogdij van een gezin
» *Wrap around care* in de jeugdhulp
» Gezinsmanagers voor multiprobleemgezinnen
» Bemoeizorg voor dak- en thuislozen.
» Overname van ouderlijke macht (jeugdbescherming)
» Drang- en dwang-interventies i.v.m. veiligheid
» Gesloten residentiële hulpverlening en zorg.

Ondersteuningsagenda gekwantificeerd

De lokale ondersteuningsagenda (zie hoofdstuk 6) moet op grond van de sociale wijkscan worden gekwantificeerd om keuzes voor de invulling van de functionaliteiten en vervolgens de in te zetten capaciteit en budget te kunnen bepalen. Dit moet leiden tot de afspraak tussen de gemeente(n) en aanbieders dat jaarlijks aantallen burgers worden ondersteund en geholpen. Hieronder wordt hiervan een voorbeeld gegeven voor een fictieve gemeente van 44.000 inwoners met een flinke sociale problematiek (zie schema).

Functionaliteiten in het aanbod	Sociale behoeften Sociale context en participatie	Individuele behoeften Lichte ondersteuning	Intensieve hulp en zorg	Complexe multiproblematiek Steun bij regie(verlies)
Gezinnen/jeugdigen (opgroeiperiode)	75 (25 gezinnen)	170	280	90 (30 gezinnen)
Volwassenen (werkzame periode)	60	40	310	80
Ouderen (pensioenperiode)	280	140	50	40

Het voorbeeld betreft een startsituatie in 2014. Voor gezinnen/jeugdigen en volwassenen ligt het zwaartepunt bij intensieve hulp en zorg, bij ouderen bij de versterking van de sociale context, participatie en lichte ondersteuning. De sociale wijkscan heeft echter laten zien dat zowel bij jeugdigen en volwassenen veel problematiek is: gebrek aan contacten, problemen met de opvoeding en weinig dagactiviteiten. Dat is voor de gemeente aanleiding om als toekomstig streefbeeld de gewenste aantallen te verschuiven (zie schema).

Functionaliteiten in het aanbod	Sociale behoeften Sociale context en participatie	Individuele behoeften Lichte ondersteuning	Intensieve hulp en zorg	Complexe multiproblematiek Steun bij regie(verlies)
Gezinnen/jeugdigen (opgroeiperiode)	180 (60 gezinnen)	210	150	75 (25 gezinnen)
Volwassenen (werkzame periode)	150	60	200	80
Ouderen (pensioenperiode)	280	140	50	40

Het voorbeeld is gestileerd voor het overzicht. Door kostprijzen te hanteren voor de diverse functionaliteiten worden de aantallen cliënten verbonden aan budgetten.

Contractvoorwaarden gemeente – aanbieders

In de contracten die een gemeente afsluit met aanbieders van ondersteuning en hulp worden naast de gebruikelijke zakelijke bepalingen ook voorwaarden opgenomen om tot transformatie te komen. Hieronder staan de belangrijkste opgesomd.

Omschrijving van de populatie
De ondersteuning en hulp wordt gegeven aan alle cliënten in de deelpopulatie die in aanmerking komen voor ondersteuning. Bij de contractering wordt eerst deze populatie (kwalitatief en kwantitatief) omschreven tussen gemeenten en aanbieders op basis van beschikbare gegevens. De omschrijving van de deelpopulatie wordt jaarlijks bijgesteld op grond van publieke demografische en epidemiologische gegevens en de verwerkingsgegevens van de aanbieders.

Afstemming met andere populaties
Met de aanbieders van ondersteuning en hulp buiten de populatie worden afspraken gemaakt over de afbakening van de populaties en over het 'grensverkeer' (overnemen van cliënten en verrekenen van kosten/ inkomsten).

Afstemming op algemene methodiek
De aanbieders maken gebruik van algemene methodische afspraken in het veld van aanbieders in het sociaal domein, zoals voor het hanteren van een systeem van triage of quick scan, van prestatiecriteria, van privacy-afspraken en van eisen aan professionele competenties wat betreft samenwerking, uitwisseling van informatie en overdracht van casuïstiek.

Resultaten

De ondersteuning en hulp van cliënten uit de populatie leidt tot resultaten volgens prestatiecriteria. Deze prestaties worden afgesproken tussen gemeente en aanbieders, inclusief de wijze waarop ze worden gemeten.

Ontzorging

Binnen de te bedienen populatie van burgers vindt ontzorging plaats: een beheerste verschuiving van zware naar lichte ondersteuningsvormen en van formele (professioneel gestuurde) ondersteuning naar informele (cliëntgestuurde) ondersteuning. Hiertoe laten de resultaatcriteria ook zien hoe deze verschuiving zichtbaar wordt gemaakt, bijvoorbeeld tussen de mate waarin meer klinische dan wel meer preventieve methodieken worden toegepast.

Kostenbesparing

De vergoeding aan de aanbieders neemt in de loop van een aantal jaren af in een fasering die wordt bepaald door het tempo van de ontzorging. De aanbieders garanderen dat de resultaten van de ondersteuning op een acceptabel kwaliteitsniveau blijven, ondanks de afnemende middelen. De bovengenoemde verschuivingen en de garantie kunnen worden gegeven doordat er in de organisatie van de ondersteuning (op termijn) kostenbesparingen optreden dank zij een samenwerking met de aanbieders van voorzieningen in de basisinfrastructuur en in de nevenliggende voorzieningen. Hiertoe wordt een (te bepalen) deel van de vergoeding besteed bij deze andere aanbieders volgens een onderling samenwerkingscontract.

Kwaliteit aanbod

De resultaten worden bereikt door een aanbod dat 'state of the art' is op het terrein van de sectoren en de relevante disciplines. In beginsel zijn de aanbieders vrij om de inhoud van dit aanbod te bepalen. Wel gelden de volgende algemene voorwaarden:

» Het aanbod voldoet aan geldende eisen van beroepsmatige kwaliteit en de eisen van wet- en regelgeving voor de gehanteerde ondersteuningsvormen

» Het aanbod is adequaat voor de diverse behoeften van de populatie en maakt hiertoe optimaal gebruik van de lokaal en regionaal beschikbare voorzieningen en specialismen (hetgeen kan nopen tot samenwerking met c.q. inschakeling/subcontractering van kleine aanbieders in de regio).

Bedrijfsvoering

De bedrijfsvoering van de aanbieders voldoet aan enkele eisen:

» Bij het leveren van het aanbod treffen aanbieders maatregelen om hun bedrijfsrisico's zo klein mogelijk te houden, bijvoorbeeld door het opbouwen van voldoende reserves

» Bij verschuivingen in het aanbod tussen diverse ondersteuningsvormen van diverse aanbieders hebben die aanbieders een regeling om veranderingen in kosten en baten onderling te verrekenen c.q. te compenseren

» Indien van toepassing heeft de individueel aangeboden ondersteuning ook het karakter van een gemeentelijke beschikking conform de AWBZ. In het aanbod is daartoe ook een administratieve (backoffice) voorziening opgenomen om een beslissing over een toelating direct door te leiden naar de administratie van de gemeente zodat die de beslissing als beschikking (inclusief de mogelijkheid van bezwaar en beroep) kan afhandelen.

Bekostigingsvormen

In het algemeen worden bij de inkoop van cliëntgerichte dienstverlening drie soorten bekostiging onderscheiden, gericht op de functie, het product of op resultaten.

Functiegerichte bekostiging

Bekostiging voor het beschikbaar stellen van een dienst of een functie. De verantwoording vindt plaats over de ingezette middelen of geleverde capaciteit. Er is bij deze vorm geen directe koppeling tussen de bekostiging en de gerealiseerde prestatie of het resultaat. Bekostiging vindt plaats op basis van gewenste capaciteit (bijvoorbeeld minimaal aantal bedden; de hoeveelheid personeel of beschikbaarheid), de populatie (kenmerken van een wijk of de te bedienen doelgroep), historische bedragen of op basis van de exploitatiekosten.

Het voordeel van functiegerichte bekostiging is dat het een zeer eenvoudige systematiek is. Het budget is voor zowel de gemeente als de aanbieder vooraf helder. Belangrijk nadeel is dat er geen koppeling bestaat tussen de geleverde hulp en de bekostiging. Om die reden is er weinig sturing mogelijk. Monitoring van de capaciteitsbenutting is zeer belangrijk voor het voorkomen van over- of ondervraging. Functiegerichte bekostiging wordt over het algemeen ingezet voor voorzieningen die altijd beschikbaar moeten zijn (althans op een basisniveau) en daarom soms ook wettelijk zijn voorgeschreven.

Productbekostiging

Bekostiging op basis van een uitgevoerde activiteit, prestatie of combinatie van activiteiten. Er bestaat hierbij een directe koppeling tussen de bekostiging en de gerealiseerde productie. De bekostiging kan plaats vinden op basis van de geleverde hulp in aantallen trajecten of activiteiten (behandelingen). De prijs wordt bepaald op basis van kosten van de inzet van een activiteit.

Voordelen van prestatiegerichte bekostiging zijn dat het doelmatigheid stimuleert en het een relatief eenvoudige systematiek is. Ook houdt de bekostiging goed rekening met een toe- of afnemende kwantitatieve belasting van aanbieders. Een belangrijk nadeel is het volumerisico. Omdat aanbieders worden afgerekend op basis van wat ze leveren, worden ze gestimuleerd om meer diensten te leveren. Er is bij hen geen prikkel tot een beperking van de inzet van ondersteuning. Het scherp definiëren, factureren en monitoren van de prestaties is daarom essentieel. Dit kan echter leiden tot bureaucratisering en aanzienlijke overheadkosten. Daarom moet gewaakt worden voor hoge administratieve lasten.

Populatiebekostiging
Bekostiging op basis van voor een populatie burgers geldende kenmerken en gerealiseerde resultaten, bijvoorbeeld de mate van gezondheid, welbevinden, zelfredzaamheid of participatie van een jeugdige of gezin. Kenmerken en resultaten worden vaak beoordeeld aan de hand van een over de hele populatie heen optredend gemiddelde (verbetering van) de toestand van een casus (jeugdige en/of gezin), de tevredenheid van cliënten over de geleverde ondersteuning en het optreden dan wel afnemen van (ernstige) problematiek dan wel verminderde terugval (recidive) van cliënten.

Voordeel is dat de gemeente alleen betaalt op basis van een integraal omschreven problematiek en wat zij daarin wil bereiken. Het is zodoende mogelijk om direct te sturen op kwaliteit, samenwerking en innovatie. Nadelen zijn dat het lastig is om de gewenste resultaten helder te definiëren en het feit dat vaak meerdere factoren invloed hebben op de resultaten in een populatie, waardoor een directe koppeling tussen de geleverde ondersteuning door een aanbieder en de effecten niet altijd te maken is.

De beste manier om populatiegerichte bekostiging in te zetten is in aanvulling op andere vormen van bekostiging, bijvoorbeeld in de vorm van bonus/malusregelingen. In dat geval worden er boetes of bonussen gekoppeld aan bijvoorbeeld innovatie, kwaliteit, servicenormen, klanttevredenheid of verkorting van de zorgduur.

Mix van bekostigingsvormen
In het algemeen is een mix van bekostigingsvormen te overwegen om de nadelen van de ene bekostigingsvorm te compenseren met de voordelen

van een andere. Hier kan echter sprake zijn van een strijdige principes en lastige effecten. Bij een populatiebekostiging hoort een gemiddeld tarief per burger of cliënt. Maar bij een persoonsgebonden budget (maatwerk voor de burger, dus een vorm van productbekostiging) betreft het tarief de gekozen hulpvorm. Als er veel 'zware' PGB's zijn met veel hulp en een stevig bedrag is het voor de aanbieder gunstiger om dit te declareren dan het gemiddelde cliëntentarief van een populatiebekostiging. Deze 'verkeerde' declaratieroutes kunnen worden bestreden door regels te stellen, bijvoorbeeld een neerwaartse correctie op het declarabele bedrag. Maar allereerst is het nodig om scherp te bepalen waarom en voor wie de populatie- dan wel de productbekostiging geldt en welke verwachtingen er zijn voor de verschuiving van zware naar lichte hulp. Die moeten dan gelden voor alle bekostigingsvormen en daar ook in doorwerken. Hiervoor moeten nog werkbare oplossingen komen. De bekostigingsvormen blijven in ontwikkeling, ook in sectoren waar al langer diverse vormen worden gehanteerd. Het sociaal domein groeit toe naar een gemengd stelsel, zoals in het begin van dit boek werd geschetst, en dat betekent ook dat een meervoudige bekostiging aan de orde blijft, inclusief de dynamiek daarvan.

Nawoord

Dit boek is tot stand gekomen vanuit de ervaringen die binnen Andersson Elffers Felix (AEF) zijn opgedaan met opdrachten voor gemeenten en instellingen bij het vorm geven van transitie en transformatie in het sociaal domein. De beschouwingen en teksten zijn echter van de auteur en geven slechts een beperkt beeld van de analyses en adviezen die door AEF zijn geproduceerd, laat staan van de voorstellen en oplossingen die in het totale veld naar voren zijn gekomen. De problemen, de veranderingsprocessen en hun dynamiek zijn veelzijdig en intensief, en het is onmogelijk daar een compleet beeld van te geven. Toch is geprobeerd een inhoudelijk strategisch perspectief voor de totale transformatie van het sociaal domein te schetsen vanuit de overtuiging dat dit noodzakelijk en nuttig is. In de veelheid van verandering dreigt het zicht op het geheel en het maatschappelijke doel te verdwijnen. Het grote belang hiervan rechtvaardigt deze poging tot strategievorming, ook al beperkt die zich tot de hoofdlijn.

Die keuze voor de hoofdlijn betekent ook dat sommige onderwerpen niet of nauwelijks aan bod zijn gekomen die de lezer misschien wel had verwacht. Die keuzes zijn gedaan om het boek compact en leesbaar te houden, maar berusten ook op de opvatting dat sommige onderwerpen die uiterst cruciaal lijken en centraal in de aandacht staan zich juist hierdoor ook toe bewegen naar verheldering en oplossing op afzienbare termijn. Dat is de reden waarom kwesties als inkoop, governance en (regionale) budgettering niet uitgebreid worden behandeld. Het gaat allereerst om de inhoud, de visie daarop en de manier om die visie tot gelding te brengen.

Bij het formuleren van de ideeën en het schrijven van het boek hebben mijn collega's een onvervangbare rol gespeeld, zowel door allerlei suggesties voor de inhoud maar ook en vooral als collega's waarmee ik dagelijks onze adviesvraagstukken deel. Vrijwel in elk teamgesprek in ons bureau kwamen gezichtspunten naar voren die aanhaakten op de tekst die vorm moest krijgen. In die zin is dit boek een voortbrengsel van het hele AEF-team, zij het via de schrijvende hand van een van de medewerkers. Aris van Veldhuisen en Sophie van der Spek hebben bovendien een eigen inhoudelijke input en ondersteuning gegeven.

Tenslotte is het gedachtengoed in deze publicatie ook voortgekomen uit gesprekken, vragen en kritische reacties van onze opdrachtgevers en relaties. Sommige daarvan hebben ook meegedacht en meegelezen, over het geheel en op onderdelen. De auteur heeft hun opmerkingen ter harte genomen en er een eigen betoog van gemaakt. Zodoende is dat betoog voorgekomen uit een wisselwerking met de maatschappelijke praktijk waaraan het ook een bijdrage wil leveren.

Het sociaal domein is in beweging en zal ook nog wel een tijd in beweging blijven. Alle reden om dit boek te zien als een verkenning en een routebepaling die op een gegeven moment bijstelling zullen behoeven. Daarom horen we graag reacties van lezers. Dat kan via onze sites *www.aef.nl* en *www.steunendstelsel.nl*, waar u aanwijzingen krijgt om die reactie te plaatsen. Wij zoeken dan naar een vervolg van deze verkenning, in welke vorm dan ook.

Literatuur

Caluwé, L. de, H. Vermaak (1999), *Leren veranderen*. Kluwer

Delden, P.J. van (2014), *Wicked problems. Venijnige vraagstukken als vuurproef voor de publieke dienstverlening* [discussiepaper]. AEF/Tias Business School Tilburg

Gerritsen, E. (2011), *De slimme gemeente nader beschouwd, Hoe de lokale overheid kan bijdragen aan het oplossen van ongetemde problemen*. Amsterdam University Press

Hedenman, B., G. Vis van Heemst (2005), *Programmamanagement. Een introductie op basis van MSP*, Van Haren Publishing

Klok, P.J, B. Denters, M. Oude Vrielink (2012), *Wijkcoaches in Velve-Lindenhof* [overkoepelende eindrapportage], Universiteit Twente

Lans, J. van der (2010), Vraagverlegenheid en het altruïsme-overschot, in: *Tijdschrift voor Sociale Vraagstukken*, jrg.50, nr.4 [april 2010]

Linders, L. (2010), *De betekenis van nabijheid. Een onderzoek naar informele zorg in een volksbuurt*, Sdu, Den Haag

Munro, R., E. Manful (2010), *Safeguarding children. A comparison of England's data with that of Australia, Norway and the United States*. Department for Education, London

Nederlands Jeugd Instituut (2009), *Jeugdzorg in Europa. Lessen over strategieën en zorgsystemen uit Engeland, Duitsland, Noorwegen en Zweden*. Utrecht

Nederlands Jeugd Instituut (2012), *Jeugdzorg in Europa. Versie 2.0: een update en uitbreiding van het rapport uit 2009 over jeugdzorgstelsels in een aantal West-Europese landen*. Utrecht

Nederlands Jeugd Instituut (2012), *De ontwikkeling van cliëntprofielen voor de Utrechtse jeugdzorg*. Utrecht.

Nederlandse Zorg Autoriteit (2009), *Monitor Huisartsenzorg 2008. Analyse van het nieuwe bekostigingssysteem en de marktwerking in de huisartsenzorg*. Utrecht

Nicis Instituut/Platform 31 (2011), *Visitatiecommissie wijkenaanpak. Eindrapportage wijkenaanpak Enschede Velve-Lindenhof*. NICIS/Platform 31, Den Haag

Ranci, C., E. Pavolini (Eds.) (2013), *Reforms in Long-Term Care Policies in Europe. Investigating Institutional Change and Social Impacts*. Springer, New York

Roerink, H. (2013), *Uniforme prestatie-indicatoren voor inkoop van Jeugdhulp door gemeenten na de transitie* [studie i.o.v. Ministerie van VWS]. Bureau Secondant

Sociaal en Cultureel Planbureau (2012), *Een beroep op de burger. Minder verzorgingsstaat, meer eigen verantwoordelijkheid?* Den Haag

Tøssebro, J., I. S. Bonfils, A. Teittinen, M. Tideman, R. Traustadóttir, H. Vesala (2012), Normalization fifty years beyond. Current trends in the Nordic countries. In: *Journal of Policy and Practice in Intellectual Disability*, vol.9, no.2, p.134-146

Vereniging van Nederlandse Gemeenten (2013), *Maatwerk in zorg en participatie. Voorbeelden uit de gemeentelijke praktijk van nu*. Den Haag

Verhoeven, I. (2013). Wel duurzame zorg, geen duurzame relaties. Gezocht: vrijwilligers, 2 uur per week, geen verplichting, in: T. Kampen & et al (Eds.), *De affectieve burger. Hoe de overheid verleidt en verplicht tot zorgzaamheid,* Van Gennep, Amsterdam, p.204-218

Vermaak, H. (2009), *Plezier beleven aan taaie vraagstukken, werkingsmechanismen van vernieuwing en weerbarstigheid*. Kluwer

Vink, C. (2007), Every child matters. Engelse inspiratie voor Nederlands jeugdbeleid, in: *JeugdenCo*, jrg.1, nr.4, p.37-46

Wetenschappelijke raad voor het regeringsbeleid (2005), *Vertrouwen in de buurt*, Amsterdam University Press

Woestenburg, T. (2014), De nieuwe jeugdzorgwet wordt precies verkeerd ingevoerd. In: *De Correspondent* [online magazine], april 2014

F